Het leven van Jenna Fox

Het leven van Jenna Fox

Mary E. Pearson

the house of books

Oorspronkelijke titel: *The adoration of Jenna Fox*
Oorspronkelijke uitgave: Henry Holt and Company LLC, New York

Copyright © 2008 Mary E. Pearson
Copyright voor het Nederlandse taalgebied © 2009 The House of Books,
Vianen/Antwerpen
Omslagbeeld © shutterstock

Vertaling: Sabine Mutsaers
Vormgeving omslag en illustratie binnenwerk: Nanja Toebak
Opmaak binnenwerk: ZetSpiegel, Best

ISBN 978 90 443 2189 0
NUR 284/285
D/2009/8899/1

www.whoisjennafox.com
www.thehouseofbooks.com

De citaten zijn met toestemming overgenomen uit:
Thoreau, Henry D., *Walden – Burgerlijke ongehoorzaamheid,* Athenaeum-Polak &
Van Gennep, Amsterdam 2005.

1

Californië

Vroeger was ik iemand.

Iemand die Jenna Fox heette.

Tenminste, dat zeggen ze. Maar ik ben meer dan een naam. Meer dan wat ze me vertellen. Meer dan de feiten en cijfers waarmee ze me volstoppen. Meer dan de video-beelden die ze me voorschotelen.

Meer. Maar ik weet niet precies wát.

'Jenna, kom eens bij me zitten. Dit mag je niet missen.' De vrouw die ik Moeder moet noemen geeft een klopje op het kussen naast haar. 'Kom dan,' zegt ze.

Ik ga naast haar zitten.

'Dit is een historisch moment,' zegt ze. Ze slaat haar arm om me heen en drukt me tegen zich aan. Ik trek een mondhoek omhoog. Dan de andere: een glimlach. Omdat ik weet dat dat van me wordt verwacht. Dat ze dat graag wil.

'Dit is een historische gebeurtenis,' zegt ze. 'We hebben nog nooit een vrouwelijke president van Nigeriaanse afkomst gehad.'

'Nog nooit,' zeg ik, en ik kijk naar het scherm. Naar het gezicht van Moeder. Ik heb nog maar pas leren glimlachen. Haar andere gezichtsuitdrukkingen kan ik nog niet nadoen. Dat zou ik wel moeten kunnen.

'Ma, kom eens bij ons zitten,' roept ze naar de keuken. 'Het gaat zo beginnen.'

Ik weet dat ze niet zal komen. Ze mag me niet. Ik weet niet hoe ik dat weet. Als ze naar me kijkt, staat haar gezicht net zo neutraal en uitdrukkingsloos als dat van de anderen, maar het zit 'm niet in haar gezicht. Het zit 'm ergens anders in.

'Ik ben aan het afwassen. Ik kijk wel op het scherm hier in de keuken,' roept ze terug.

Ik sta op. 'Ik wil best weggaan, Lily,' bied ik aan.

Ze komt in de boog van de deuropening staan. Ze kijkt naar Moeder. Ze wisselen een blik die ik probeer te begrijpen. Moeder slaat haar handen voor haar gezicht. 'Ze is je oma, Jenna. Je hebt haar altijd oma genoemd.'

'Het geeft niet, ze mag me best Lily noemen,' zegt ze, en ze gaat aan de andere kant naast Moeder zitten.

%O%

Bewustzijn

Er is een donkere plek.
Een plek waar ik geen ogen heb, geen mond. Geen woorden.
Ik kan niet huilen, omdat ik geen adem heb. De stilte is zo
intens dat ik dood wil.
Maar ik kan niet sterven.
De duisternis en de stilte zijn eindeloos.
Het is geen droom.
Ik doe niet aan dromen.

3

Ontwaken

Het ongeluk is ruim een jaar geleden gebeurd. Ik ben twee weken geleden ontwaakt. Er is ruim een jaar verdwenen. Ik ben geen zestien meer, maar zeventien. De tweede vrouwelijke president is gekozen. Er is een twaalfde planeet ontdekt in het zonnestelsel. De laatste wilde ijsbeer is gestorven. Groot nieuws dat me niet heeft geraakt. Ik ben er gewoon doorheen geslapen.

Toen ik wakker werd, huilde ik. Zeggen ze. Ik kan me die eerste dag niet herinneren. Later heb ik Lily in de keuken tegen Moeder horen fluisteren dat mijn gehuil haar bang maakte. 'Het klinkt als het gejank van een dier,' zei ze.

Ik huil nog steeds als ik wakker word. Ik weet niet waarom. Ik voel niets. Althans, niet iets wat ik kan benoemen. Het is als ademhalen: iets waarover ik geen controle heb, maar het gebeurt wel. Vader was erbij toen ik ontwaakte. Hij noemde het een begin. Zei dat het goed was. Ik heb zo'n vermoeden dat hij alles wat ik doe goed zou vinden. De eerste paar dagen waren moeilijk. Mijn gedachten en mijn lijf gingen als een gek tekeer. Mijn gedachten kwamen als eerste tot bedaren. Mijn armen waren vastgebonden. De volgende dag kwamen ook mijn armen tot rust. Het was druk in huis. Ik werd onderzocht, betast, keer op keer opnieuw onderzocht, Vader sloeg meerdere keren per dag mijn symptomen op in het netbook en de behandeling werd hervat. Maar ik merkte niet dat ik werd behandeld. Ik ging gewoon elke dag een beetje meer vooruit. De ene dag kon ik nog niet lopen, de volgende dag wel. De ene dag hing mijn linkerooglid half dicht, de dag erna niet meer. De ene dag lag mijn tong als een lap vlees in mijn mond, de volgende dag articuleerde ik woorden die ik ruim een jaar niet had uitgesproken.

Op de vijfde dag, toen ik zonder te strompelen of te struikelen de veranda op liep, zei Moeder huilend: 'Het is een wonder. Echt een wonder.'

'Ze loopt anders nog heel krampachtig, zie je dat dan niet?' zei Lily.

Moeder gaf geen antwoord.

Op de achtste dag moest Vader terug naar zijn werk in Boston. Hij besprak het fluisterend met Moeder, maar ik hoorde het toch. 'Risico... moet nu eenmaal terug... komt wel goed.' Voordat hij vertrok, pakte hij met twee handen mijn gezicht beet. 'Stapje voor stapje, mijn engeltje,' zei hij. 'Heb geduld, alles komt weer terug. Na verloop van tijd zul je alle verbanden weer zien.' Volgens mij loop ik weer normaal. Maar mijn geheugen is niet normaal. Ik kan me mijn vader, mijn moeder en Lily niet herinneren. Ik kan me niet herinneren dat ik ooit in Boston heb gewoond. Ik kan me het ongeluk niet herinneren. Ik kan me Jenna Fox niet herinneren.

Vader zegt dat het een kwestie van tijd is. 'De tijd heelt alle wonden,' zegt hij.

Ik vertel hem maar niet dat ik niet weet wat tijd is.

%N%

Tijd

Er zijn woorden.
Woorden die ik me niet herinner.
Geen moeilijke woorden waarvan je zou verwachten
dat ik ze niet ken.
Simpele woorden.
Springen. Warm. Appel.
Tijd.
Ik zoek ze op. Nu vergeet ik ze nooit meer.
Waar zijn de woorden gebleven,
de woorden die eens in mijn hoofd zaten?

5

Orde

curieus bn. **1.** merkwaardig, eigenaardig: *ik vind het curieus*; curieuze gewoonten **2.** (spreekt.) nieuwsgierig

De eerste week somde Moeder voortdurend de bijzonderheden van mijn leven op. Mijn naam, huisdieren van vroeger. Lievelingsboeken. Vakanties met het gezin. En na elk tafereel dat ze had beschreven, vroeg ze: 'Weet je nog?' Telkens wanneer ik 'nee' zei, zag ik haar ogen veranderen. Ze leken kleiner te worden. Zou dat kunnen? Ik probeerde mijn 'nee's' zachter te laten klinken, en elke keer anders dan de vorige, maar op dag zes brak haar stem toen ze over mijn laatste balletuitvoering vertelde. *Weet je nog?*

Op dag zeven gaf Moeder me een doos. 'Ik wil je niet opjagen,' zei ze. 'Ze liggen op volgorde. Bijna allemaal met etiket. Misschien komt er iets terug als je ze bekijkt.' Ze omhelsde me. Ik voelde haar pluizige trui. Haar koele wang. Dat zijn dingen die ik kan voelen. Hard. Zacht. Ruw. Glad. Maar vanbinnen is alles hetzelfde, als een wazige, mistige brij. Is dat het deel van me dat nog slaapt? Ik sloeg mijn armen om haar heen en probeerde haar net zo stevig tegen me aan te drukken als zij mij tegen zich aan drukte. Daar leek ze blij om te zijn. 'Ik hou van je, Jenna,' zei ze. 'Als je vragen hebt, ben ik er voor je. Onhoud dat goed.'

'Bedankt' was het juiste antwoord, dus dat zei ik. Ik weet niet of ik het me herinnerde of dat ik het pasgeleden had geleerd. Ik hou niet van haar. Ik voelde dat ik dat wel zou moeten doen, maar hoe kun je houden van iemand die je niet kent? Al ervoer ik wel iets in die wazige, mistige brij. Toewijding? Plichtsgevoel? Ik wilde het haar naar de zin maken. Ik dacht aan haar aanbod: als je vragen hebt... Ik had geen vragen. Die waren nog niet naar boven gekomen.

Dus heb ik de eerste disk bekeken. Ze lagen op chronologische volgorde, zo te zien. Het waren opnamen van mij in de baarmoeder. Uuuurenlange opnamen van mij in de baarmoeder. Ik bleek mijn ouders' eerste kind te zijn. Vóór mij waren er nog twee baby's geweest, maar die hadden de vierde maand van de zwangerschap niet gehaald. Bij mij hadden Moeder en Vader extra maatregelen getroffen – met succes. Ik was de enige. Hun wonderkind. Ik heb zitten kijken naar mezelf als foetus, drijvend in een donkere waterwereld, en ik vroeg me af of ik me dat ook zou moeten herinneren.

Elke dag bekijk ik nieuwe disks in een poging terug te halen wie ik was. Er zijn disks bij met stilstaande beelden en andere met filmpjes. Tientallen schijfjes van 5 cm. Misschien wel honderd. Duizenden uren gevuld met mij.

Ik nestel me op de grote bank. Vandaag bekijk ik *Jenna Fox – jaar 3*. De disk begint met mijn derde verjaardagspartijtje. Een klein hollend meisje, lachend om niets, dat uiteindelijk moet stoppen voor een hoge, verweerde stenen muur. Ze slaat met haar minuscule, mollige sterrenhandjes tegen het steen en kijkt om naar de camera. Ik zet het beeld stil. Bekijk de glimlach. Het gezicht. Ze heeft iets, iets wat ik in mijn eigen gezicht niet zie, maar ik weet niet wat het is. Misschien gaat het gewoon om een woord dat ik kwijt ben? Of er is meer. Ik bekijk de grote ruwe stenen waar haar handjes op rusten. Het is in de kleine achtertuin van het rijtjeshuis waar we ooit hebben gewoond. Dat herinner ik me van gisteren, van disk 18.

'Play,' zeg ik, en het beeld komt in beweging. Ik kijk naar het meisje met het gouden haar dat kraait en holt en haar gezicht verbergt tussen twee benen in broekspijpen. Dan wordt de driejarige ondersteboven de lucht in getild, en we zoomen in op het lachende gezicht van Vader die zijn neus in haar navel steekt. Het meisje van drie lacht. Zo te zien vindt ze het leuk. Ik loop naar de spiegel naast de boeken-kast. Ik ben nu zeventien, maar ik zie de gelijkenis. Hetzelf-de blonde haar. Dezelfde blauwe ogen. Maar de tanden zijn anders. De tandjes van een kind van drie zijn heel klein. Mijn vingers. Mijn handen. Allemaal veel groter nu. Bijna een totaal ander mens. En toch ben *ik* dat. Althans, dat zeg-gen ze. Ik bekijk de rest van het partijtje, in bad, op ballet-les, vingerverven, een driftbui, verhaaltje voor het slapen-gaan, alles in het leven van de driejarige Jenna Fox dat belangrijk was voor Vader en Moeder.

Dan hoor ik voetstappen achter me. Ik draai me niet om. Het is Lily. Haar voeten maken een ander geluid op de vloer dan die van Moeder. Kordate, uitgesproken passen. Ik hoor iedere nuance. Ben ik altijd zo gevoelig geweest voor geluiden? Ze komt achter me staan. Ik wacht tot ze begint te pra-ten, maar ze zegt niets. Ik vraag me af wat ze wil.

'Je hoeft de volgorde van de disks niet aan te houden,' zegt ze na een hele tijd.

'Weet ik. Dat zei Moeder al.'

'Er zijn ook opnamen bij van jou als tiener.'

'Ik ben nog steeds een tiener.'

Er valt een stilte. Opzettelijk, vermoed ik. 'Tja,' zegt ze dan. Ze loopt om me heen, tot ze in mijn gezichtsveld staat. 'Ben je niet *nieuwsgierig*?'

Nieuwgierig: curieus. Dat woord heb ik vanmorgen opgezocht, nadat Moeder meneer Bender 'een curieuze man' had genoemd. Meneer Bender woont achter ons, aan de andere kant van de grote vijver. Misschien wil Lily wel via een omweg duidelijk maken dat ze me eigenaardig vindt.

'Ik heb ruim een jaar in coma gelegen. Nieuwsgierig ben ik niet, maar wel merkwaardig, eigenaardig. Ik ben *curieus,* Lily.'

Lily spreidt haar armen en laat ze langs haar lichaam hangen. Ze houdt haar hoofd een beetje schuin. Het is een knappe vrouw. Ze ziet eruit als vijftig, terwijl ik weet dat ze minstens zestig moet zijn. De rimpeltjes rond haar ogen worden dieper. Het subtiele onderscheid tussen de verschillende gezichtsuitdrukkingen ontgaat me nog steeds.

'Je moet je niet aan de volgorde houden. Bekijk liever de disks van vorig jaar.'

Lily loopt de kamer uit, en op de vijftiende dag na mijn ontwaken neem ik mijn eerste zelfstandige beslissing. Ik hou de volgorde van de disks aan.

6

Breder

Er is iets merkwaardigs aan de plek waar we wonen. Iets merkwaardigs aan Lily. Er is iets merkwaardigs, iets *curieus*, aan Vader en zijn telefoontjes met Moeder iedere avond. En er is beslist iets curieus aan mij. Waarom herinner ik me alle details van de Franse Revolutie, maar weet ik niet of ik ooit een beste vriendin heb gehad?

7

Dag 16

Toen ik vanmorgen wakker werd, had ik vragen. Ik vroeg me af waar die zich al die tijd schuilgehouden hadden. *De tijd heelt alle wonden.* Is dat wat Vader bedoelde? Of zochten de woorden die verloren waren gegaan in mijn hoofd alleen maar naar de juiste volgorde? Behalve vragen kwam ook het woord *voorzichtig* in me op. Waarom? Ik begin te geloven dat ik vertrouwen moet hebben in de woorden die in me opkomen.

'Jenna, ik ben weg,' roept Moeder vanaf de voordeur. 'Weet je zeker dat je het wel redt?'

Moeder gaat naar de stad. Het is de eerste keer sinds Dag 1 dat ik haar het huis uit zie gaan.

'Ja, prima,' zeg ik. 'Mijn voedingsstoffen staan op het aanrecht. Ik weet hoeveel ik ervan moet innemen.' Ik kan nog niet normaal eten. Toen ik vroeg hoe dat kwam, struikelden Vader en Moeder over elkaars woorden in een poging het uit te leggen. Uiteindelijk zeiden ze dat mijn lichaam na een jaar eten via een slangetje nog geen gewoon voedsel kan verdragen. Dat slangetje heb ik nooit gezien. Misschien staat het op die laatste disk die ik van Lily moest kijken. Waarom wil ze dat zo graag?

'Niet de deur uit gaan,' voegt Moeder eraan toe.

'Dat doet ze niet,' antwoordt Lily.

Moeder gaat naar de stad om werklieden aan te nemen. Ze is gediplomeerd renovatiedeskundige. Of dat wás ze. In Boston had ze een bedrijf dat oude, chique rijtjeshuizen opknapte. Het was haar specialiteit. Ze had het druk. Iedereen wil alles opknappen. Oud is in. Volgens Lily had Moeder een heel goede naam. Door mij is haar carrière voorbij. In Californië zijn geen oude rijtjeshuizen. Volgens Moeder moet het huis waar we nu wonen, een Cotswold-cottage, hoognodig opgeknapt worden; nu het beter met me gaat, wordt het tijd dat ze het leefbaar gaat maken. De ene renovatie verschilt niet zoveel van de andere, zegt ze. Mij laten opknappen en het huis opknappen, dat is haar nieuwe carrière.

Ze loopt weg en is al halverwege het smalle paadje voor de deur als ik haar mijn eerste vraag stel. Ik weet dat dit voor haar geen geschikt moment is.

'Moeder, waarom zijn we hier komen wonen?'

Ze houdt halt. Ik meen haar even te zien struikelen. Dan draait ze zich om. Zet grote ogen op. Zegt niets, dus ga ik door: 'Als de artsen en Vader en jouw werk allemaal in Boston zijn, wat doen we dan *hier*?'

Moeder staart even naar de grond, zodat ik haar gezicht niet kan zien, en kijkt dan op. Ze glimlacht. Eén mondhoek. Dan de andere. Een behoedzame glimlach. 'Er zijn een heleboel redenen, Jenna. Ik kan ze nu niet allemaal opnoemen, want dan mis ik de bus, maar de voornaamste reden is dat het ons voor jou het beste leek om in een rustige omgeving op krachten te komen. En zo te zien is dat plan goed gelukt, nietwaar?'

Soepel. Geoefend. Ik hoor het aan haar zangerige toontje. In bepaalde opzichten klinkt het bijna redelijk, maar ik zie de zwakke plekken. Een rustige omgeving is minder belangrijk dan dicht bij de artsen wonen. Maar ik knik. Er is iets

met haar ogen. Ogen ademen niet, dat weet ik ook wel.
Maar haar blik is ademloos.

8

Mijn kamer

Ik ga naar mijn kamer. Dat wil ik eigenlijk niet, maar voor haar vertrek heeft Moeder één verzoek gedaan: 'Ga naar je kamer, Jenna. Ik denk dat je rust nodig hebt.' Ik heb geen rust nodig en ik wil niet naar mijn kamer, maar voordat ik het weet voeren mijn voeten me de trap op en trek ik de deur achter me dicht. Ik weet dat Moeder er blij om zou zijn.

Mijn kamer is boven – het is een van de tien vertrekken op de eerste verdieping, naast een hele rits kasten, badkamers, hoekjes en andere vertrekken zonder raam die geen enkel doel lijken te dienen. Mijn kamer is de enige die schoon en gemeubileerd is. De andere zijn leeg, op een verdwaalde spin na, of rommel die door de vorige bewoners is achtergelaten. Op de benedenverdieping zijn ook tien vertrekken, waarvan slechts de helft gemeubileerd is. Een paar ervan zijn afgesloten en heb ik nog niet gezien. Moeder en Lily hebben een kamer beneden. Eigenlijk is het huis helemaal geen cottage. Ik heb het woord voor de zekerheid opgezocht. 'Cotswold' heb ik ook opgezocht: dat is een schaap. We wonen dus in een plattelandshuisje dat is bedoeld voor schapen. Ik heb hier nog geen schaap gezien.

Mijn kamer is aan het einde van een lange gang. Het is het grootste vertrek boven, waardoor het eenzame bed, het bureau en de stoel klein en onbeholpen lijken. De meubel-stukken worden weerspiegeld in de geboende houten vloer. Het is een kille kamer. Niet in temperatuur, maar in tempe-rament. De ruimte geeft niets weer van degene die er woont. Of misschien ook wel.

De enige kleur in de kamer is het custardgele dekbed. Het bureau is leeg, op het netbook na dat Vader gebruikte om met de artsen te communiceren. Geen papieren. Geen boe-ken. Geen rommel. Niets.

De slaapkamer komt uit op een grote kleedruimte met boogplafond, die weer uitkomt op een kast, die weer uitkomt op een kleinere kast, met achterin een deurtje dat ik niet open krijg. Het is een rare zigzagtunnel. Had ik in Boston ook zo'n kamer? In de eerste kast hangen vier truitjes en vier broeken. Allemaal blauw. Eronder staan twee paar schoenen. In de tweede kast hangt of staat niets. Ik laat mijn handen langs de wanden glijden en verbaas me over de leegte.

Ik kijk uit mijn raam. Achter onze tuin, aan de overkant van de vijver, zie ik de curieuze meneer Bender, niet meer dan een vlekje in de verte. Hij zit op zijn hurken, en zo te zien kijkt hij naar iets wat op de grond ligt. Hij schuifelt naar voren en verdwijnt uit het zicht, verscholen achter het groepje eucalyptusbomen op de rand van ons terrein. Ik keer terug naar mijn kamer.

Een houten stoel.

Een kaal bureau.

Een simpel bed.

Zo weinig. Is dat nou de optelsom van Jenna Fox?

%T%

Een vraag die ik Moeder nooit zal stellen:

Had ik vrienden?
Ik ben ruim een jaar ziek geweest en toch is er nergens
een kaart, brief, ballon of verwelkte bos bloemen
te vinden op mijn kamer.
Het netbook zoemt nooit voor mij.
Zelfs geen oud-klasgenoot die naar me informeert.
Ik herinner me misschien niet alles,
maar ik weet dat die dingen er zouden moeten zijn.
Iets.
Als iemand ziek is, tonen de mensen belangstelling. Dat weet ik.
Wat voor iemand was Jenna Fox, dat ze geen vrienden had?
Wil ik me haar eigenlijk wel herinneren?
Iedereen zou minstens één vriend of vriendin moeten hebben.

10

Meer

Ik hoor Lily neuriën. Mijn voeten schuifelen alsof ze een eigen leven leiden, maar ik probeer ze stil te houden om te voorkomen dat ze me hoort. Tegen de muur geleund gluur ik de keuken in. Ze staat met haar rug naar me toe. Het grootste deel van de tijd brengt ze door in de keuken, waar ze uitgebreid kookt. Vroeger was ze hoofd Neurologie in het Academisch Ziekenhuis van Boston. Vader heeft zijn co-schap bij haar gelopen, zo heeft hij Moeder leren kennen. Lily is met haar werk gestopt, ik weet niet waarom. Nu zijn haar passies tuinieren en koken. Het lijkt wel of iedereen hier in huis zichzelf opnieuw ontdekt en niemand nog langer degene is die hij vroeger was.

Als ze niet aan het koken is, brengt ze achter het huis de kas op orde. Ik eet niet wat ze klaarmaakt, dat mag ik niet hebben, en ik vraag me af of dat er mede de oorzaak van is dat ze me niet mag. Ze rammelt met potten en pannen en draait de kraan open. Ik loop snel naar de voordeur.

De scharnieren van de zware houten deur piepen als ik naar buiten ga, maar ze komt me niet achterna. Het geluid gaat op in het gerammel van de potten en pannen en het stromende water. Ik ben nooit verder gekomen dan het trapje voor het huis, behalve die keer dat het donker was en Moeder een kort wandelingetje met me maakte naar de kas van Lily. Moeder zegt altijd dat ik in de buurt moet blijven. Ze is bang dat ik 'verloren loop', zegt ze.

verloren bn. **1.** weg, kwijtgeraakt: *verloren lopen,* verdwalen **2.** (van personen) doelloos, lusteloos: *er wat verloren bij zitten* **3.** niet meer te redden: *het schip is verloren*

Ik ben bang dat ik al verloren ben.

De middagzon is fel. Het licht doet pijn aan mijn ogen. Ik trek de deur zachtjes dicht zodat Lily het niet hoort en haast me het gazon over. Ik ga niet ver weg. Ik hou het huis in het oog. *Voorzichtig.* Het woord verschijnt weer, als een heg voor mijn neus, maar het rukt ook van achteren op. Ik loop langs de schoorsteen van de haard in de huiskamer. De bovenste stenen zijn op de grond gevallen en worden bijna helemaal aan het zicht onttrokken door onkruid. Felgroen mos kruipt tegen de resterende stenen omhoog. Ik loop langs de achterkant van de garagewoning, zodat Lily me niet ziet. Veel van de ramen zijn dichtgetimmerd en er ontbreekt een heel stuk van de dakspanen. Geld lijkt voor Moeder geen rol te spelen; ik vraag me af waarom ze niet de tijd heeft gehad om zelfs maar de eenvoudigste reparaties uit te voeren terwijl ik meer dan een jaar in coma heb gelegen.

Als ik de garagewoning voorbij ben, heb ik goed zicht op het terrein van de curieuze meneer Bender, maar ik zie hem niet. Onze achtertuin loopt enigszins naar beneden af en komt uit op een grote vijver. Het water is roerloos. De vijver scheidt onze tuin van die van meneer Bender, en het beekje dat erin uitkomt, vormt een afscheiding met de tuinen van de buren aan de zuidkant, als een natuurlijk, kronkelend hek. Aan de noordkant, waar de vijver buiten zijn oever treedt, loopt het beekje door en verdwijnt het in een bos van eucalyptusbomen.

Nog een paar passen en ik zie meneer Bender. Hij zit op zijn hurken, zoals ik Jenna van drie op de videodisks heb zien doen. Een vreemde houding voor een volwassen man. Hij houdt iets in de ene hand en steekt de andere uit naar iets anders wat op de grond ligt. Hij zit zo stil dat ik blijf staan.

Curieus. Merkwaardig. Vreemd. Moeder had gelijk.

Ik loop verder naar beneden tot ik bij de waterkant kom. Dan loop ik in de richting van het bos. De bomen zijn dun maar talrijk, en al na een paar meter eindigt de vijver en gaat hij over in de beek. De stroming is nauwelijks sterker dan die van Lily's keukenkraan, en het water is hooguit tien centimeter diep. Ik stap op de droge stenen die boven het stroompje uit komen om aan de overkant te komen en ik loop de glooiing van meneer Benders tuin op. Ik zou bang moeten zijn. Moeder zou willen dat ik bang was. Maar behalve Moeder, Vader en Lily is meneer Bender de enige persoon die ik heb gezien sinds mijn ontwaken. Ik wil praten met iemand die me niet kent. Iemand die Lily of Moeder niet kent. Iemand buiten ons eigen curieuze kringetje. Hij ziet me aankomen en komt overeind. Hij is lang, veel langer dan ik dacht. Ik blijf staan.

'Hallo,' roept hij.

Ik verroer me niet.

'Verdwaald?' vraagt hij.

Verdwaald? *Verloren gelopen*? Ik kijk om naar mijn huis. Ik kijk naar mijn handen. Draai ze om en bestudeer beide kanten. Mijn naam is Jenna Fox. 'Nee,' antwoord ik. Ik doe een stap naar voren.

Hij steekt zijn hand uit. 'Ik ben Clayton Bender. Ben jij het nieuwe buurmeisje?' Hij knikt naar het huis.

Nieuw? Wat noemt hij nieuw? Is een jaar nieuw? 'Ik ben Jenna Fox. Ja, ik woon daarginds.' Ik schud hem de hand.

'Je hebt ijskoude handen, jongedame. Moet je nog acclimatiseren?'

Ik weet niet wat dat betekent, maar ik knik en zeg ja. 'Ik heb u gezien vanuit mijn kamer. U zat op uw hurken. U bent curieus.'

Hij begint te lachen en zegt: 'Dat ben je zelf.'

'Mijn grootmoeder zegt dat u het bent.'

Hij lacht weer, hoofdschuddend. Ik vraag me af of lachen ook een curieuze kant van hem is. 'Nou Jenna, je hebt me op mijn hurken zien zitten omdat ik hieraan werkte. Kom maar eens kijken.' Hij draait zich om, loopt een paar meter verder en wijst naar de grond. Ik volg hem.

'Wat is dat?' vraag ik.

'Ik heb het nog geen naam gegeven, maar ik denk dat ik het Dennenslang ga noemen. Of misschien ook niet. Ik ben ecologisch kunstenaar.'

'Pardon?'

'Ik maak kunst van dingen die ik in de natuur aantref.'

Ik kijk naar de honderden lange dennennaalden, allemaal keurig naast elkaar gerangschikt, de uiteinden zorgvuldig in het losse zand gestoken, op zo'n manier dat ze samen een kronkelende slang vormen die de grond in en uit kruipt. Ik zou willen bukken om hem te strelen, maar ik weet dat ik hem daarmee zou stukmaken. Ik zie het nut er niet van in. Meneer Bender heeft de hele ochtend gewerkt aan iets wat morgen weggewaaid of vertrapt zal zijn. 'Waarom?' vraag ik.

Hij lacht weer. Waarom doet hij dat toch? Hij is curieuzer dan ik. 'Je bent een strenge criticus, Jenna Fox. Ik maak kunst omdat ik niet anders kan. Het zit in me. Net als ademhalen.'

Hoe kan er een Dennenslang in hem zitten? En dan nog wel een die vergankelijk is. 'Deze is morgen verdwenen.'

'Ja, waarschijnlijk wel. Dat is het mooie ervan en dat maakt hem nog specialer. Voor mij althans. Hij is teer, tijdelijk en toch eeuwig. Hij wordt weer opgenomen in de omgeving, om steeds opnieuw gebruikt te worden op het schildersdoek van de natuur. Ik doe niets anders dan onderdelen van de natuur voor korte tijd herschikken, zodat mensen de schoonheid zien van datgene wat ze normaal gesproken negeren. Zodat ze er even bij stil...'

'Maar hier ziet niemand het.'

'Ik neem foto's als ik klaar ben, Jenna. Zo tijdelijk ben ik nu ook weer niet. Ik moet ook eten. Heb je de naam Clayton Bender nooit gehoord?'

'Alleen het Bender-gedeelte.'

Hij glimlacht. 'Ach ja, niet al mijn werk is bekend, maar in het begin van mijn carrière heb ik een sculptuur gemaakt van ijspegels in de sneeuw: *Wit op wit*. Daarmee heb ik naam gemaakt. Je kunt geen kantoor of spreekkamer binnenlopen of er hangt een afbeelding van. Niet mijn beste werk, maar wel het bekendste. Wit past overal bij, dat zal het zijn. Van het geld dat ik daarmee heb verdiend, heb ik dit huis grotendeels betaald. Ik zou het me nu niet meer kunnen veroorloven.'

'Is uw huis veel geld waard?'

'Dat zijn al deze huizen. Je kunt hier in de buurt tegenwoordig niets meer krijgen zonder er een klein fortuin voor neer te tellen, maar ik heb mijn huis voor een schijntje gekocht na de grote aardbeving. Jij bent te jong om het je te herinneren, maar...'

'Vijftien jaar geleden, Zuid-Californië, negentienduizend doden. Twee hele woonwijken verzwolgen door de oceaan en alle belangrijke transportsystemen lagen plat, net als de watertoevoer naar de zuidelijke helft van de staat. Het is de grootste natuurramp die ons land ooit heeft meegemaakt en het werd gezien, samen met de aureusepidemie die er drie maanden later op volgde, als oorzaak van de Tweede Grote Depressie, die zes jaar heeft geduurd.'

Ik ben met stomheid geslagen. Zeg je dat zo? Ja, met stomheid geslagen. Geen idee waar al die feiten vandaan komen.

Meneer Bender hapt naar adem. 'Zo, je kent de feiten wel, hè, Jenna? Ben je geschiedenisfanaat?'

Was ik dat? Ben ik dat? Ik moet nog verwerken hoe gemakkelijk de feiten uit me zijn gestroomd. 'Dat zal wel.'

'Nou, het klopt inderdaad. Ik heb dit huis spotgoedkoop kunnen krijgen vanwege al die vreselijke gebeurtenissen. Maar nu is iedereen de aardbeving weer vergeten en de wetenschappers zeggen dat het nog wel een paar honderd jaar zal duren voordat we er weer een krijgen van meer dan negen op de schaal van Richter, dus de prijzen rijzen de pan uit.'

'Ons huis is in slechte staat. Ik geloof niet dat het veel waard kan zijn.'

'Het heeft jaren leeggestaan, maar het is gemakkelijk op te knappen. Ik ben blij dat er eindelijk iemand woont. Toen ik jullie een paar weken geleden zag aankomen met de verhuiswagen, was ik blij dat er eindelijk een gezin in het huis trok.'

'Een paar weken geleden? We wonen hier al langer, hoor.'

Meneer Bender laat zijn wenkbrauwen zakken. 'Natuurlijk. Ja, dat zal ook wel. De tijd vliegt,' zegt hij.

Maar ik voel dat hij me niet gelooft. Misschien wil hij niet in discussie gaan. Dat wil ik ook niet.

'Gaat u een foto maken?' Ik wijs op de Dennenslang.

'Nog niet. Ik wacht tot de zon wat lager staat. En als ik geluk heb, kan ik nog een paar vogels zo ver krijgen dat ze erbij poseren. Een hedendaags leeuw-en-lamtafereel.'

'Hebt u vogels?'

'Wacht, ik zal het je laten zien. Deze kant op.'

Hij loopt heuvelopwaarts naar een overwoekerde tuin. Kapotte flagstones vormen een slingerend pad door grote struiken lavendel, woekerend bukshout en anijsplanten, met parasolletjes die op kant lijken. Al vrij snel komen we bij een ronde open plek, een grasveldje, waar in het midden een bankje staat van houtblokken. Meneer Bender gaat zitten en pakt een afgedekt kommetje dat achter hem staat. Daaruit schept hij iets in zijn hand. 'Ga zitten,' zegt hij. Dat doe ik.

Hij houdt zijn geopende hand op en onmiddellijk klinkt er gekwetter om ons heen. 'Stil blijven zitten,' draagt hij me op. Een grijs vogeltje scheert over zijn hand heen zonder iets te pakken. Een andere vogel maakt een duikvlucht, blijft even in de buurt en verdwijnt dan net als de vorige. Meneer Bender blijft roerloos zitten. Weer een ander vogeltje fladdert om hem heen en landt op zijn pols. Het pikt een zaadje op en vliegt weg. Binnen de kortste keren landen er nog twee vogels op zijn hand, die gretig aan de zaadjes beginnen te pikken, dapperder dan de rest. Ik kijk gebiologeerd naar hun mooie kleine snaveltjes, de crèmekleurige klauwtjes en de grijze veertjes, die samen in laagjes een mooie, zijdeachtige waaier vormen. Als ik mijn hand uitsteek om er eentje aan te raken, fladderen ze allebei weg.

'Je moet geduld hebben. Hier, probeer maar,' zegt meneer Bender. Hij geeft me het kommetje met vogelzaad en ik schep er wat uit. Ik steek mijn hand uit en wacht. De vogels kwetteren in de palissander vlak bij ons, maar ze komen niet van de takken. Ik steek mijn hand wat verder uit. We wachten zwijgend. Ik doe mijn best om doodstil te blijven zitten. Ik heb heus wel geduld.

Ze komen niet.

'Misschien zitten ze vol,' zegt meneer Bender. 'Je mag zo vaak terugkomen als je wilt, Jenna, om het te proberen.' Zo vaak als ik wil? De uitdrukkingen die na mijn coma allemaal samengevloeid waren, beginnen nu langzaam patronen te vormen. Het grootste gedeelte is geconcentreerd in de ogen. De oogleden vormen klanken zonder woorden. Ze zeggen telkens iets anders, door de kleinste verandering van invalshoek. Nu dringt het tot me door, de uitdrukking op Lily's gezicht van gisteren. Pijn. En nu, vandaag, op het gezicht van meneer Bender: de waarheid. Hij wil echt graag dat ik terugkom. Hoe kunnen ogen zoveel zeggen? Dat is ook iets wat ik curieus vind. Eigenaardig. 'Zal ik doen,' zeg ik tegen hem. Hij staat op en strooit de overgebleven zaadjes in het bukshout. Druk gekwetter volgt. Ze zaten dus niet vol.

'Ik moet nu weer aan het werk, Jenna, maar ik vind het fijn dat je langsgekomen bent.' We lopen het pad weer af, maar bij de rand van de tuin blijft hij staan en wrijft in zijn nek. 'Wees voorzichtig. Kijk uit waar je naartoe gaat. Er is hier het een en ander voorgevallen. Kapotte ruiten. Vermiste huisdieren. Nog wat andere dingen. De meeste buurtbewoners zijn heel aardig, maar jij weet niet voor wie je moet oppassen.'

'Weet u het wel?'

'Laten we zeggen dat alles op te zoeken is op het net, en dat ik mijn best heb gedaan om zoveel mogelijk te weten te komen over mijn buren.' Hij staart naar een wit huis aan het einde van ons pad.

'Dank u wel, meneer Bender. "Voorzichtig" is een woord waar ik aandacht aan zal besteden.'

11

Gekend

Ik heb een vriend. Dat verandert alles. Hij mag dan misschien geen normale vriend zijn voor iemand van zeventien, maar ik ben ook niet normaal. Op dit moment doet normaal er niet toe.

Ik weet niet of ik me Jenna ooit zal herinneren. Moeder wil niets liever. Maar het is een fijn gevoel om het oude los te laten en iets nieuws op te bouwen. Dit gevoel wil ik vaker hebben.

Als ik glimlach, hoef ik niet eens aan mijn mondhoeken te denken. Ze gaan vanzelf omhoog. Meneer Bender is curieus. Dat ben ik ook. Ik ben niet langer ongekend. Meneer Bender kent me.

Ik zie ons huis als ik de helling van meneer Benders terrein afloop. Ik loop het eucalyptusbos in, waar de vijver is ingedamd met zand en gevlochten boomwortels. Als ik op de eerste steen stap die boven het kabbelende beekje uitsteekt, valt mijn blik ergens op. Een witte glinstering. Het wateroppervlak van de vijver. Het komt op me af. Verblindt me. Trekt me naar zich toe.

Mijn voet glijdt van de steen. Ik hoor iets.

Geschreeuw.

Ik voel mezelf vallen, maar ik kan niet zien waar ik terechtkom. Mijn hele wereld tolt. Open mond. Gegil. Zwaaiende handen. Water dat naar binnen stroomt.

Mijn neus. Mijn mond. Inktzwart. Naar adem happen. Pijn op mijn borst.

De vijver is overal.

'Na! Na!' Ik voel stenen in mijn knieën snijden. Glinstering. Een flits. Gedempte lichtstralen. Stroperig geluid. Onder, onder. Natte duisternis bedekt me, en boven mijn hoofd stijgen glanzende luchtbellen op.

'Jenna!'

Ik voel handen om mijn polsen. Handen die me bij mijn schouders door elkaar schudden.

'Jenna!'

Ik zie Lily die me aankijkt. Die me overeind trekt.

'Jenna! Wat is er? Wat is er gebeurd? Jenna! Jenna!'

De vijver is roerloos. Mijn kleren zijn droog. Een snee in mijn knie. Er vormt zich een pareltje waterig bloed. 'Ik...'

'Is alles goed met je?' Lily's pupillen zijn zo klein als speldenknopjes. Haar stem snijdt door me heen.

'Ik geloof van wel.' Ik weet niet wat er is gebeurd. Alles leek anders. De vijver was gigantisch en ik was heel klein. Ik dacht dat ik erdoor werd opgeslokt. Ik kon niks zien.

Ik dacht dat ik verdronk.

12

Herinneringen

Moeder sluit de netverbinding met Vader af en loopt de keuken door, naar me toe. Ze heeft een kwartier lang zachtjes met Vader zitten praten over het sneetje in mijn knie. 'Het komt wel goed, zegt hij. Het zal waarschijnlijk genezen als een doodgewone snee.'

'Het ís ook een doodgewone snee.'

'Niet bepaald,' mompelt Lily, en ze gaat in de stoel tegenover me zitten.

Moeder barst los: 'Wat heb ik je gezegd, Jenna! Wat heb ik je gezegd? Je had het huis niet uit mogen gaan!'

'Maar dat heb ik toch gedaan.'

Moeder laat zich op een van de andere stoelen aan tafel zakken. Ze wrijft over haar slaap. 'Wat is er gebeurd?' vraagt ze, iets milder nu.

'Ik wilde het beekje oversteken en stapte op de eerste steen. En toen...' Ik probeer me te herinneren wat er precies is gebeurd.

'En toen?' De stem van Moeder klinkt afgeknepen.

Ik weet het weer. Ik weet iets meer. 'Ben ik bijna verdronken?'

'Het beekje is maar een paar centimeter...'

Lily onderbreekt haar. 'Ja. Lang geleden. Ze was toen nog geen twee.'

'Dat kan ze zich nooit...'

'Ik herinner het me wel.'

Ik herinner het me. Ik kijk naar Moeder en Lily, die precies hetzelfde gezicht trekken: alsof alle lucht uit hun longen is geperst. 'Ik herinner me vogels. Witte vogels. Ik weet dat ik viel. Heel diep. En ik gilde en er kwam water in mijn mond...'

Lily schuift haar stoel naar achteren en staat op. 'We waren aan de baai. Ik heb Jenna's hand maar één tel losgelaten, om geld uit mijn portemonnee te pakken voor een ijsje. Dat heb ik betaald, en toen ik me omdraaide, stond ze al aan het einde van de aanlegsteiger. Ze kon zo hard rennen. Het kwam door de meeuwen. Aan het einde van de steiger zaten meeuwen en ze holde erheen zonder te stoppen. Ze was zo op die beesten gericht dat ze me niet hoorde roepen. Ik zag haar vallen en vloog erheen. Ze zakte al naar de bodem, en ik ben achter haar aan gesprongen.'

Lily praat over mij alsof het over iemand anders gaat.

Alsof ik er niet bij ben.

'Toen heb je een nieuw ijsje voor me gekocht. Een week later zijn we er weer heen gegaan. De smaak van het ijsje...'

'Kersen.'

Moeder begint te snikken. Ze schuift haar stoel naar achteren en komt naar me toe. Slaat haar armen om me heen en kust mijn wang, mijn haar. 'Je hebt herinneringen, Jenna. Precies zoals je vader zei. Dit is nog maar het begin.'

Herinneringen.

Dus Jenna Fox zit toch binnen in me. Net nu ik zonder haar verder wilde gaan, duikt ze op. *Vergeet me niet*, zegt ze.

Ik denk niet dat ze me daar de kans voor zal geven.

13

Bezoek

Kara.

En Locke.

Ze duiken op. Moeder en Vader hadden gelijk. Stukje bij beetje. Meer. Het komt terug. De stukjes kronkelen door de nacht. Ik word wakker van gezichten. Ga rechtop zitten. Ik heb het warm en ben bang.

Ik had vrienden. Kara en Locke. Maar ik weet niet meer wanneer. Of waar. Op school? Op straat? Ik kan me niet herinneren waar we naartoe gingen of wat we deden. Maar ik zie hun gezichten voor me. Vlak voor dat van mij, ademloos.

Ik heb ze gekend. *Ik heb ze heel goed gekend.* Waar zijn ze nu?

Ik zit rechtop in bed, in het donker, en luister naar het nachtelijke gekraak van ons huis. Ik probeer meer op te roepen dan alleen hun gezichten, probeer ze in een ruimte te plaatsen, achter een bureau, met stemmen, zodat er meer naar boven komt. Maar ik zie alleen hun gezichten. Ze blijven voor me hangen alsof ze op mijn geurspoor afgekomen zijn.

Vertel het dan. Vertel me wie jullie zijn.

Vertel me wie ik ben.

14

Timing

Lily schuift de garagedeur open. Hij piept en rammelt doordat hij zo lang niet is gebruikt, tot hij eindelijk zijn luidruchtige route heeft afgelegd. In het donkere hol staat tussen de stapels dozen een oude roze hybride.

'Ik zal hem eruit rijden, dan kun je buiten instappen.' Haar stem is scherp. 'Niet tegen je moeder zeggen. Als ze hoort dat ik me met je in het openbaar heb vertoond, zwaait er wat.'

'Ik blijf liever thuis.'

'Ik zou ook liever hebben dat je thuisbleef, maar ik moet inkopen doen en ik neem niet het risico dat je weer aan de wandel gaat.'

'Dat doe ik heus niet.' *Aan de wandel?*

Lily bromt wat. Ze wurmt zich tussen twee stapels dozen door, rijdt de auto achteruit de garage uit en wacht tot ik naast haar ben ingestapt. 'Gaan we met de metro?' vraag ik.

Lily trapt op de rem. 'Herinner je je de metro?'

Het irriteert me dat iedereen steeds vraagt of ik me bepaalde dingen herinner. Het is een kwestie van gradaties. Herinner ik me een rit in de metro? Naar een belangrijke afspraak? Met iemand die belangrijk voor me was? Nee. Weet ik hoe de treinstellen van de metro eruitzien, wat de metro precies is? Ja. Ik geef het beste antwoord dat ik tot mijn beschikking heb: ik haal mijn schouders op.

'We zijn hier niet in Boston, ze hebben hier geen metro. En de bus gaat niet naar de plek waar ik moet zijn, dus rij ik er zelf heen. Heb je daar iets op tegen?'

Ik geef geen antwoord.

Ze schakelt en we rijden in volle vaart langs de huizen bij ons in de straat. Het zijn er maar vijf. De andere huizen zijn geen Cotswold-cottages. Ze zijn allemaal verschillend. Naast ons een pand in tudorstijl, dan een groot oud missiehuis, daarnaast een enorme vakwerkboerderij en ten slotte het witte huis waar meneer Bender het woord *voorzichtig* aan verbond. Het is heel groot, in Georgian stijl, met hoge witte zuilen bij de ingang. Ik vind het grappig dat ik al die bouwstijlen ken, maar bij Moeder op kantoor staan natuurlijk kasten vol boeken over architectuur. Misschien heeft de oude Jenna die gelezen.

Volgens meneer Bender kosten de huizen in deze buurt kapitalen. Als ik zo eens om me heen kijk, geloof ik dat wel. Wij hebben ook nog ons oude herenhuis in Boston, dat een fortuin gekost moet hebben. 'Zijn Vader en Moeder rijk?' vraag ik.

'Wat een rare vraag.'

'Ik bén ook een rare. Curieus, weet je nog?'

'Ja. Schathemeltje.'

'Rijk, bedoel je?'

'Dat zeg ik.'

'Door het renoveren van huizen?'

Lily begint te lachen.

'Dus het geld komt van Vader. Verdienen dokters zo veel?'

'Nee.' Ik zie haar aarzelen. De auto mindert vaart voor een stopbord. Ze zucht alsof ze kostbare informatie weggeeft, waar ik heel blij om zou moeten zijn. 'Hij heeft een biotechnisch bedrijf opgezet, dat hij vier jaar geleden heeft verkocht. Daar komt het geld vandaan. Hij heeft de

Bio Gel uitgevonden, waardoor op het gebied van transplantaties alles voorgoed is veranderd. Organen kunnen nu, in plaats van slechts een paar uur, oneindig bewaard worden tot iemand ze nodig heeft. Hij heeft er het nieuws mee gehaald en een grote klapper gemaakt. Verder nog vragen?'

'Als hij zijn bedrijf heeft verkocht, waar werkt hij nu dan?'

'Nog steeds in dat bedrijf.'

Ik begrijp het niet, maar Lily geeft geen verklaring en ik ben het zat om informatie uit haar te moeten lospeuteren. Dus begin ik over iets anders en wijs naar de straat waar we vandaan komen. 'Ken je de buurtbewoners?' vraag ik.

'Nog niet,' antwoordt Lily. Weer geen uitleg. Ik weet dat ze liever van de stilte zou genieten. Maar dat gaat niet gebeuren, denk ik.

'Je bent hier al ruim een jaar, waarom heb je de buren nog niet leren kennen?'

'Hoe kom je erbij dat we hier al zo lang zouden zijn?'

'Moeder zei dat we hier zijn komen wonen vanwege...'

'We zijn hier pas tweeënhalve week.'

'Dat kan niet,' zeg ik. 'Dat is bijna net zo lang als dat ik uit coma ben. Ik ben toch niet de dag na de verhuizing bijgekomen? Dat zou wel heel toevallig...'

Meer zeg ik niet. Lily zwijgt ook. Ik denk nu ook aan meneer Benders opmerking dat we hier pas twee weken zouden wonen. Het is dus waar. Hoe konden Vader en Moeder weten wanneer ik wakker zou worden? Hoe konden ze na ruim een jaar coma zo nauwkeurig voorspellen wanneer ik zou ontwaken, en vervolgens precies op dat moment naar Californië verhuizen? Was dat wel toeval? Of hebben zíj beslist wanneer ik zou bijkomen? Waarom zouden ze me dan zo lang in coma hebben gehouden? Waarom zouden ze me anderhalf jaar van mijn leven afnemen? Wat zijn dat voor ouders?

Voorzichtig, Jenna.

Ik had het mis. Lily kan toch van de stilte genieten.

%S%

Overeenkomst

Ik heb nooit naar het ongeluk gevraagd. Iets zei me
dat ik dat niet moest doen.
Misschien kwam het door de glinstering in Moeders ogen.
Misschien door de glimlach van Vader, net iets te geforceerd.
Misschien door iets wat dieper in me zit, iets wat ik nog steeds
niet kan benoemen.
Het ongeluk.
Het is als een titel. Een stopteken. Een muur.
Die scheidt me van wie ik was en wie ik zal worden.
Ik kan het niet vragen en zij beginnen er niet over.
Het is een zwijgende overeenkomst.
Misschien wel het enige
waar we het ooit
over eens zijn geweest.

16

Binnen

'We zijn er.'

Lily's stem klinkt mild. Het landschap dat ik in mijn geheugen wilde prenten is achter me weggekronkeld, en nu zit
ik in de auto op een parkeerplaats waarvan ik me niet herinner dat we erheen gereden zijn.

'Jenna.'

Weer die stem. De milde toon van Lily die ik amper herken. Hoe lang hebben we gereden? Hoe lang heb ik uit het
raampje gestaard zonder iets te zien? Het dringt tot me
door, als scherpe tanden in mijn huid, hoeveel ik nog niet
weet. Mijn vingers knijpen in de zitting. Ik zoek een woord.
Een woord. Curieus. Verloren. Boos. Welk woord? *Ziek.* Is
dat het? Ik zoek wanhopig naar een woord dat er niet is.

'Jenna.'

Bang. Door Lily's milde toon komt het naar boven. Ik ben
bang.

Ik draai me naar haar om en vraag me af waar die verandering vandaan komt. 'Waarom heb je een hekel aan me?'
vraag ik.

Ze geeft geen antwoord. Bestudeert mijn gezicht. Haar
borst zwelt op en ze houdt haar hoofd een beetje schuin. 'Ik
heb geen hekel aan je, Jenna,' zegt ze na een hele tijd. 'Ik heb
gewoon geen plaats voor je.' Harde woorden, maar haar

stem klinkt lief, en die tegenstelling wijst me er weer eens keihard op dat er bij mij iets heel belangrijks ontbreekt. Ik weet zeker dat de oude Jenna Fox het wel begrepen zou hebben. Toch werkt Lily's toon geruststellend. Ik knik alsof ik het begrijp.

'Ga mee naar binnen,' zegt ze zacht, en ze pakt allerlei spullen van de achterbank. Ik loop achter haar aan over een verlaten gravelterrein.

Een groot gepleisterd gebouw, verblindend wit tegen de koude blauwe hemel, lijkt onze eindbestemming te zijn. Het doet pijn aan mijn ogen. 'Wat is dit?' vraag ik.

'Het missiehuis. San Luis Rey. Ik heb al jarenlang contact met pastoor Rico en nu gaan we elkaar eindelijk ontmoeten.' We lopen naar binnen door een zware houten deur en komen in een lange witte gang. Die komt uit op een schaduwrijk, ommuurd kerkhof. 'Deze kant op,' zegt Lily, alsof ze hier al eerder is geweest en de weg weet. Ik kijk naar de verwelkte bloemen en knuffelbeesten op de graven, en even ben ik jaloers vanwege al die aandenkens. Ik zie een grafsteen uit het jaar 1823 waarvan de cijfers bijna weggevaagd zijn. Ruim tweehonderd jaar later wordt er nog steeds aan die doden gedacht.

Ik vraag me af hoe het kan dat Lily een priester van een stokoud missiehuis kent, zo ver van Boston. We naderen het einde van de begraafplaats en komen bij de enorme kerkmuur die eromheen ligt. Lily trekt weer een hoge houten deur open, en deze keer betreden we een koele duisternis waar de zoete geur hangt van brandende kaarsen, bedompte lucht en ouderdom. Als mijn ogen aan het donker gewend zijn, zie ik een beschilderde koepel en daarna een verguld kruisbeeld. Jezus Christus. *Ja, Jezus Christus.* Dat herinner ik me. Lily zakt op één knie voor het altaar en slaat een kruis: een hand naar haar voorhoofd, naar haar hart en dan naar beide schouders, in een snelle, natuurlijke beweging die alweer is afgelopen zodra hij begint. Dit herinner ik me niet.

Ik blijf naar de vergulde gestalte aan het kruis staan staren. Mijn blik gaat naar het altaar en daarna naar de doopvont. Ik zou nu iets moeten voelen, lijkt me. Dat vraagt de ruimte van me, maar ik voel niets. Ik doe mijn ogen dicht. Onmiddellijk word ik gegrepen door een tafereel achter mijn oogleden en ik voel koele druppels water op mijn voorhoofd. Het rimpelloze gezicht van Lily, jaren jonger, duikt voor me op, en daarna een man die glimlacht. Hij neemt mijn hele lijf in zijn handen en kust me op mijn wang. Ik zie mijn eigen hand voor mijn gezicht zwaaien, zo klein als een vlinder, een babyhandje. Ik doe mijn ogen open. Mijn doop. Ik herinner me mijn doop. Hoe kan dat?

Lily wacht aan de andere kant van het vertrek, bij een deur, tot ik haar zal volgen.

'Had mijn opa zwart haar?' vraag ik haar.

'Ja,' antwoordt Lily. 'Je zult hem wel op de disks hebben gezien. Hij is gestorven toen je twee jaar was.'

Ik heb hem niet op de disks gezien. 'Waaraan is hij gestorven?'

'De aureusepidemie. We waren vaak genoeg gewaarschuwd dat er zoiets zou kunnen gebeuren – en uiteindelijk gebeurde het ook. Hij behoorde tot de twintig miljoen slachtoffers.'

'En dat was alleen nog maar in ons land,' zeg ik.

Lily trekt haar wenkbrauwen op. Dit is haar eerste glimp van alle feiten die mijn hersenen opslaan. Haar greep op de ijzeren deurklink wordt steviger. 'Tegen die tijd waren de meeste antibiotica nutteloos geworden,' zegt ze. 'Ergens in de loop van de jaren hebben we een enorme stap terug gedaan. Toen ik klein was, bestond er maar een handjevol vaccins, en nu kun je overal tegen ingeënt worden, omdat we onzelf in een hoek gedreven hebben. Is dat nou vooruitgang?' Ze kijkt me aan en er ontstaat een diepe rimpel in haar voorhoofd. 'Soms beseffen we gewoon niet dat we te ver zijn gegaan.' Als ze de deur opendoet om weg te gaan, valt er een baan licht over de vloer.

'Ben je daarom geen dokter meer?'

Ze blijft met een ruk staan en draait zich om.

'Omdat je hem niet hebt kunnen redden?' voeg ik eraan toe. Ik ben gewoon nieuwsgierig, maar ik zie onmiddellijk een verandering in haar. Ze was al verbitterd, maar nu verstijft ze helemaal. Woedend.

'Dat gaat je geen donder aan,' antwoordt ze.

'Er zijn tegenwoordig speciale wetten,' zeg ik. Een van Lily's mondhoeken gaat omhoog. Het is geen glimlach. 'Ja. Dat klopt. Hele verordeningen, goedgekeurd door het Congres. Je kunt als wetenschapper nog geen scheet laten of er wordt een commissie gevormd die hem onderzoekt. Ze kunnen zelfs in de gevangenis belanden. Is dat ook al in je hoofd opgeslagen?'

'Nee.'

'Dat dacht ik al. Ze willen natuurlijk niet dat je dat weet. Het probleem is dat sommige mensen menen dat ze boven de wet staan. Er zijn genoeg redenen waarom er zoveel regeltjes bestaan.'

'Zoals?'

Ze lijkt mijn uitdagende toon bijna vermakelijk te vinden, of misschien verbaast het haar dat ik tegengas geef. Ik zie dat ze zich lang maakt, langer dan de Lily die ik ken, alsof ze bereid is het tegen mij en minstens tien anderen op te nemen, mocht dat nodig zijn.

'Het ontwikkelen van ongediertebestendige maïs heeft de oorspronkelijke soorten voorgoed uitgeroeid. Daar komen de wetten te laat voor,' zegt ze, en ze doorboort me met haar blik. 'En iets simpels als overmatig antibioticagebruik heeft een hele reeks bacteriën in het leven geroepen die zo dodelijk waren dat mijn man eraan bezweken is, samen met een kwart van de wereldbevolking. Dus dat is...'

'Gold dat voor jou ook?' Ik doorzie de cirkelredenering die ze voor me verborgen had willen houden.

'Wat?'

'Dat je boven de wet stond. Toen je nog dokter was. Heb jij ooit...'

'Ja.' Ik zie de stijfheid uit haar spieren wegtrekken. 'En dat draag ik iedere dag van mijn leven met me mee.' Ze loopt weg.

'Lily.' Ik hou haar tegen. 'Heeft mijn opa...? Heb jij...? Ben ik gedoopt?'

'Ze is gedoopt toen ze twee weken was,' zegt ze terwijl ze de deur uit loopt. 'Wij waren haar peter en meter.' En weg is ze, zonder te kijken of ik haar volg.

Pastoor Rico en Lily zitten in de schaduw van een peperboom verhalen uit te wisselen. We hebben al een rondleiding gehad door de restanten van de eeuwenoude tuin van het missiehuis, waar ze samen enthousiast hebben staan kijken naar knoestige boomwortels, onkruid en een paar sinaasappelboompjes die er armzalig uitzien, met piepkleine, bleke vruchtjes. Pastoor Rico noemde het trots de eerste kwekerij van Californië, maar de ware schat voor hen beiden zit 'm in de zaadjes en het DNA die zijn overgebleven.

Ze praten hard; sommige woorden halen de overkant van de binnenplaats.

'Puur.'

'Zuiver.'

'Originele zaden.'

'Onaangetast DNA.'

Als ik mijn oren zou spitsen, zou ik alles kunnen verstaan, maar ik zit niet te wachten op nog meer details dan datgene wat pastoor Rico me al heeft verteld. Lily en hij zijn beiden lid van de Wereldorganisatie tot Behoud van Zaden, een groepering die zich inzet voor het behoud van oorspronkelijke plantensoorten. Blijkbaar zijn er nog maar weinig pure rassen, door de biotechniek en door kruisbestuiving. De wind maakt kennelijk geen onderscheid in de soorten stuifmeel die hij van verschillende planten meevoert. Het stuifmeel van gemanipuleerde planten waait net zo gemakkelijk weg als dat van de oorspronkelijke, en het besmet onderweg alle traditionele planten die het tegenkomt. Nu weet ik wat de diepere betekenis is achter Lily's kas. Pastoor Rico en zij beschouwen gemanipuleerde planten blijkbaar als een tijdbom, vergelijkbaar met de aureusepidemie. Hun netwerk van zadenliefhebbers is erop uit de wereld te redden. Redders in nood. Lily heeft mij ooit gered. Ik vraag me vaak af hoe ze daar nu over denkt.

Ze kijkt regelmatig mijn kant op, om zich ervan te verzekeren dat ik niet weggelopen ben of een gesprek met iemand heb aangeknoopt. Er loopt zo nu en dan iemand over de binnenplaats, voornamelijk andere priesters, maar ik hou mijn mond. Dat heeft Lily me opgedragen. 'Zo heeft je moeder het graag,' zegt ze.

Ik zie een jongen, langer dan pastoor Rico, aan de andere kant van de binnenplaats staan. Hij loopt naar hen toe. Hij heeft vieze handen en strijkt met zijn onderarm lange lokken zwart haar uit zijn ogen. Hij ziet er... aantrekkelijk uit. Ik geloof dat dat het juiste woord is. Hij zegt iets tegen pastoor Rico, knikt en kijkt dan mijn kant op. Ik zie Lily's gezicht. Ze heeft in de gaten dat ik naar de jongen kijk en recht haar rug, klaar om op te springen. Ik geloof dat hij naar me toe wil komen, en ik wend mijn blik af om hem te ontmoedigen. Het werkt. Hij zegt nog wat tegen pastoor Rico en loopt dan terug zoals hij is gekomen – en ik ben meteen boos op mezelf omdat ik zo braaf heb gedaan wat Lily en Moeder willen. Dat zal niet meer gebeuren.

17

Naar je kamer

Moeder staat aan het aanrecht. Ze nipt aan haar jus d'orange en neemt een lijst met taken voor vandaag door. Lily raspt kaas boven een kom rauwe eieren. Ik drink mijn voedingsstoffen op, die nergens naar smaken. Nadat ik de laatste grote slok heb weggewerkt, vraag ik: 'Was ik een geschiedenisfanaat?'

Moeder kijkt amper op van haar lijst. 'Een wat?'

Ik besluit de vraag van meneer Bender anders te formuleren. 'Vond ik geschiedenis leuk? Was het mijn lievelingsvak?'

Moeder glimlacht en kijkt dan weer naar haar lijst, waar ze een paar veranderingen op aanbrengt. 'Nou nee,' antwoordt ze. 'Ik ben bang dat geschiedenis – net als wiskunde, trouwens – een bijlesvak voor je was.' Ze gaat weer helemaal op in haar planning. Bij-les? Misschien bleef ik niet bij de les.

Ik zet mijn lege glas weg en verkondig: 'Ik ga vandaag naar school.'

Moeder laat haar pen vallen en staart me aan. Lily stopt met het klutsen van de eieren.

'Ik neem aan dat ik in het jaar dat ik in coma lag mijn diploma niet heb gehaald, dus ik zal mijn school toch moeten afmaken, hè?'

Moeder heeft nog niets gezegd. Haar mond hangt open en ze schudt licht haar hoofd, alsof mijn woorden erdoorheen galmen. Op de een of andere manier vind ik dat grappig.

'Er zijn twee scholen op loopafstand – dat heb ik opgezocht op het net – en de grote scholengemeenschap is maar een klein eindje rijden.'

'Jij gaat niet rijden!' gilt mijn moeder onbeheerst, en dan vervolgt ze iets rustiger: 'School is uitgesloten. Je bent nog herstellende...'

'Het gaat prima met me.'

Moeder gaat staan. 'Ik zeg dat je niet naar school gaat. Punt uit.'

Even aarzel ik, maar dan ga ik ook staan. 'En ík zeg dat ik wél ga.'

Moeder is zo geschokt dat ze erbij staat als een marmeren standbeeld. We zeggen geen van beiden iets. Uiteindelijk wendt ze haar blik af. Gaat weer zitten. Raapt haar pen op. Ze is rustig, beheerst, ingetogen, de moeder die al weet wat er komt voordat ik het weet. 'Naar je kamer, Jenna. Je hebt rust nodig. Vooruit, nu meteen.'

Ik ben ziedend. Woest. Razend. *Die woorden!* Eindelijk komen ze omhoogborrelen wanneer ik ze nodig heb.

Maar mijn *wil* neemt af. Moeder zegt dat ik naar mijn kamer moet gaan. *Ga naar je kamer, Jenna. Naar je kamer.*

Ik ga.

De woede verdubbelt, vermeerdert zich, vult mijn gezichtsveld als een zwarte wolk. Ik zie steeds minder, met iedere stap die me dichter bij mijn kamer brengt. *Naar je kamer, Jenna.* Ik gehoorzaam. Ga naar mijn kamer. Ik plof neer op de overloop, op de laatste stoel, en wieg zachtjes heen en weer. In wat voor wereld ben ik ontwaakt? In wat voor nachtmerrie? Waarom kan ik het niet laten precies te doen wat Moeder zegt, ook al wil ik dolgraag iets anders? Ik wieg heen en weer in het donker en heb het gevoel alsof ik weer in dat stille vacuüm ben, daar waar niemand mijn stem hoort. Als Jenna Fox een zwakke lafaard was, wil ik haar helemaal niet zijn. Ik sla mijn armen om mijn lichaam in een poging de wereld eruit te knijpen. Ik hoor een scherpe stem. Moeder. Ze is kwaad. Op mij? Ik heb gedaan wat ze vroeg. Ik buig me naar de trapleuning toe om te luisteren. Lily's stem klinkt ook kwaad.

'Wanneer geef je nou eens toe dat je het niet had moeten doen?'

'Hou op! Jij zou het toch moeten begrijpen! Zonder IVF zou ik er zelf niet geweest zijn! Je noemde me vroeger altijd jouw wonder. Waarom gun je *mij* dan geen wonder? Waarom zou jij mogen beslissen wanneer er een einde moet komen aan de wonderen?'

'Het is tegennatuurlijk.'

'Dat was ik ook! Je kon me niet krijgen zonder hulp. Ik wilde alleen...'

Ik hoor een vreemd geluid. Gesnik?

'Claire...'

'Toe nou,' zegt Moeder. Haar stem klinkt nu zacht. Bijna fluisterend.

'Claire, je kunt haar niet voor de wereld verborgen houden. Ze wil een eigen leven. Daar was het toch juist om begonnen?'

'Zo gemakkelijk gaat dat niet. Misschien is het wel gevaarlijk.'

'De straat oversteken kan ook gevaarlijk zijn, en toch doen duizenden mensen het dagelijks.'

'Ik bedoel niet voor haar. Er zijn ook nog anderen met wie we rekening moeten houden.'

'O ja, natúúrlijk.' Lily's stem klink spottend. Moeder reageert niet. Het gesprek lijkt beëindigd. Ik hoor bordengerin-

49

kel en dan stoelpoten die over de grond schrapen. De stilte rijgt zich door het huis als een veter die wordt aangetrokken, en ten slotte hoor ik weer een stoel schrapen, en dan Lily die met een zucht gaat zitten. 'Je weet dat het mij niet kan schelen. Ik heb anderhalf jaar geleden afscheid genomen. Voor mijn part stuur je haar terug naar Boston, maar in mijn ogen heb jij de beslissing genomen. Goed of fout, het is gebeurd. Nu moet je verder. Ben je haar bewaker of haar moeder?'

Een gesmoord geluid, en dan bijna onhoorbaar: 'Ik weet het niet.'

Stilte. Geen rammelende borden meer. Geen stoelen. Geen stemmen. Geen gekibbel. Moeder is uitgepraat. Lily ook. Lily, de laatste van wie ik had verwacht dat ze voor me zou opkomen. Althans, ik geloof dat ze dat deed. Maar ze zou het prima vinden als ik in Boston zat, duizenden kilometers hiervandaan. Misschien zou ze dat zelfs liever hebben. Ik snap er niks van. Ik weet alleen dat ik niet naar school mag. Dat zei Claire.

Claire.

Nu weet ik het weer.

Ik zei nooit Moeder tegen haar, ik noemde haar Claire. Dat weet ik zeker. Ik ga naar mijn kamer. Dat moet van Claire. Ik geloof dat ik haar haat.

18

Jenna Fox – jaar 10

Ik weet wel wat het betekent, maar voor alle zekerheid zoek ik het woord op:

haat de (m.); g. mv. **1.** een gevoel van diepe afkeer voor iemand; buitengewone aversie of vijandelijkheid

Er is een beter woord voor Moeder. Ergerlijk, misschien.
   Maar met Lily ligt het anders. Die haat me. Haar aversie is buitengewoon. Ze bezorgt me de kriebels met haar voortdurende zijdelingse blikken. Ze heeft nog geen vier woorden tegen me gesproken in evenzoveel dagen, maar aangezien ze van 's morgens vroeg tot 's avonds laat in haar kas is, is het gemakkelijk genoeg om me uit de weg te gaan. Onze werelden kruisen elkaar alleen 's ochtends even, wanneer we met z'n drieën aan de keukentafel zitten, en 's avonds wanneer we daar weer terugkeren. Ik heb op mijn kamer de disks zitten bekijken. Dat had Moeder me gevraagd. Haar verlangen om mij te laten terugkeren naar wie ik vroeger was wordt steeds groter. Het lijkt wel of ze, naarmate de Cotswold-cottage verder wordt opgeknapt – de bouwvakkers komen en gaan – van mij verwacht dat ik in hetzelfde tempo opknap. Gerestaureerde dakspanen. Gerestaureerde vloeren. Een gerestaureerde Jenna.

Ik wil geen restauratie. Ik wil een eigen leven. Nu. Ik wil verder. Dat waren Lily's woorden. Het is wel ironisch dat haar woorden nu de mijne worden.

Maar toch bekijk ik de disks.

Omdat Moeder het wil.

Ik ben halverwege jaar 10 van Jenna Fox. Ik zie een leuk meisje. Haar blonde, vlassige haar in een lange paardenstaart op haar rug. Ik heb haar al gezien tijdens duikles en al weer een balletuitvoering, ik heb haar zien oefenen op de piano en nu zie ik haar over een voetbalveld achter de bal aan hollen. Een ontzettend druk kind. Ze heeft zo'n druk bestaan dat ik het bijna niet kan bevatten; ze is helemaal het tegenovergestelde van de Jenna-met-het-lege-leven die ik nu ben.

Ze schopt de bal naar een teamgenootje, dat hem op haar beurt in het doel schiet. Er klinkt een geluidssignaal. Vuisten gaan de lucht in en er wordt gejuicht. De leden van het elftal omhelzen elkaar en tillen elkaar op, en Jenna vormt het middelpunt van dat alles. Ik hoor Vader en Moeder, onzichtbaar achter de camera: ze juichen ook, en na een poosje roepen ze me bij zich. Ik hol naar hen toe. Neem hun felicitaties in ontvangst. Ik glimlach. Ik werp mijn hoofd in mijn nek en roep een vriendin. En dan zie ik iets wat me nog niet was opgevallen. Een dun rood streepje vlak onder mijn kin. 'Pauze,' roep ik meteen. 'Terugspoelen. Pauze.' De speler volgt mijn bevelen op. Ik bekijk het stilstaande beeld wat beter. 'Inzoomen.' Het rode streepje wordt wat ik al vermoedde: een litteken.

Ik loop naar de spiegel in de badkamer en hou mijn hoofd schuin omhoog. Laat mijn vinger langs mijn keel glijden. Ik voel. Ik zoek.

Geen litteken.

Die video-opname is van zeven jaar geleden. Verdwijnen littekens in zeven jaar?

19

Een glimp

Het is nu vijfentwintig dagen geleden dat ik ben ontwaakt.

Acht dagen geleden dat we naar het missiehuis gingen.

Zes dagen geleden dat het nieuwe tuinpad voor ons huis werd gelegd.

Vijf dagen sinds de loodgieter de leidingen hier heeft vervangen.

Drie dagen sinds ik meneer Bender voor het laatst heb gezien door mijn raam.

Drie dagen regen, met 4287 koude druppels die tegen mijn ramen kletterden.

Ik ben dus wel goed in rekenen.

Zonder vrienden en een drukke agenda om me bezig te houden, zijn de tijd en cijfers en aantallen mijn voornaamste bron van vermaak geworden. Op de voet gevolgd door nummer twee: naar de straaltjes regen op mijn raam kijken.

Het is in februari koud in Californië. Maar niet zo koud als in Boston. Bij lange na niet. Volgens het netbericht is het buiten nog maar twaalf graden. 'Gut, gut,' zei Lily daarstraks spottend. De temperatuur schommelt hier nauwelijks. De saaiheid regeert op alle vlakken. Dus regen is een welkome afwisseling. Ik heb de vijver zien zwellen en het waterpeil van de beek zien stijgen. Ik druk mijn vlakke hand tegen het glas en stel me de druppels voor op mijn huid, pro-

beer me voor te stellen waar ze zijn begonnen, waar ze naartoe gaan, en ik voel ze als een rivier, snel stromend, waarna
ze zich samenvoegen tot iets wat groter is dan ze waren toen
ze begonnen.

Ik ga een tijdje het net op. Volgens meneer Bender kun je
daar alles over je buren te weten komen. En aangezien hij
de enige van alle buren is die ik ken, kom ik van alles over
hém te weten. Hij is beroemd. Kluizenaar. Er zijn geen foto's
van hem. Slechts weinig mensen hebben hem ooit ontmoet.
Een eigenzinnige kunstenaar. Dat soort dingen.

Ik toets de naam Jenna Fox in. Het aantal hits overvalt
me. Het zijn er duizenden. Welke van hen ben ik? Ik scha-
kel het net uit en besef dat ik niet eens weet hoe ik voluit
heet. Het is te veel werk, proberen te worden wie ik was,
altijd aan anderen moeten vragen wat ik eigenlijk gewoon
hoor te weten. Ik ga op bed naar het plafond liggen staren.
Een uur of vier lang.

Andere gedachten keren terug, verzamelen zich, roepen
nieuwe gedachten op.

De vogels van meneer Bender die niet op mijn handpalmen
wilden zitten...

Een waterig druppeltje bloed op mijn knie...

en de doop die ik me herinner...

En bezoek. Ik heb vannacht bezoek gehad. Kara en Locke
zijn weer bij me langsgekomen. In mijn diepste slaap schudden ze me wakker. *Jenna, Jenna*. Ik deed mijn ogen open,
maar hun stemmen verdwenen niet uit mijn oren. Ik hoor ze
nu nog. *Snel, Jenna. Kom. Vlug, kom mee.*

Mee? Waarheen?

Ik zie ons samen in het park in Boston; de herinnering is zo
levendig dat ik het pasgemaaide gras nog kan ruiken. We zitten aan de voet van het George Washington Monument, dicht
op elkaar om uit de zon te blijven, onze benen gestrekt voor

ons in de lange middagschaduw. We spijbelen van sociologie en Kara vult iedere stilte met haar nerveuze lachje; als ze lacht, deint haar zwarte bobkapsel als een rokje heen en weer op haar schouders. Locke zegt telkens dat we moeten gaan. 'Nee!' zeggen Kara en ik tegelijk. *Het is te laat. Te laat.* En dan lachen we alle drie weer, uitgelaten, samen één in onze opstandigheid.

We voelen ons er niet gemakkelijk onder. Normaal gesproken volgen we braaf de regels. Dit is nieuw voor ons, en we putten moed uit elkaar. Ik buig me naar Locke toe om hem te kussen. Vol op zijn mond. We barsten weer in lachen uit, tot het snot uit onze neuzen komt. Kara herhaalt de kus en we komen niet meer bij. De herinnering is zo sterk dat het pijn doet.

Ik stap uit bed en leun met mijn rug tegen de muur, zoals ik die dag in Boston deed. Ik had vrienden. Goede vrienden.

20

Ommekeer

Moeder zit achter haar netbook als ik de keuken binnen kom. Ze zit met Vader te praten. De afgelopen dagen heb ik nauwelijks méér met haar gesproken dan met Lily. Ze doet alsof ze het heel druk heeft en is erg afstandelijk. Lily rammelt met dozen in de kast.

'Goedemorgen,' zegt Moeder, maar ze zet haar netbook-gesprek met Vader voort.

'Jenna?' roept Vader.

'Goedemorgen, Vader.'

'Kom eens hier, schat.'

Ik ga achter Moeder staan en kijk over haar schouder, zodat hij me kan zien.

'Je ziet er goed uit,' zegt hij. 'Hoe voel je je?'

'Prima.'

'Geen terugval? Pijn? Niets bijzonders?'

'Nee.'

'Mooi. Mooi.' Hij zegt het een derde keer, en ik heb het gevoel dat hij tijd wil rekken.

'Is er iets?' vraag ik.

'Nee. Helemaal niet. Maar ik geloof dat je moeder met je wil praten, dus ik ga maar. Ik spreek je morgen weer.' Hij verbreekt de verbinding.

Met me praten. Haar beheerste, zelfverzekerde gedrag

maakt me zenuwachtig. Ik wil niet met haar praten, maar ik twijfel er niet aan dat het toch zal gebeuren. Claires wil is wet.

'Ga zitten,' zegt ze.

Ik ga zitten.

Lily doet de kast dicht en leunt op het aanrecht; opeens heeft ze het niet meer druk. Moeder trekt een gezicht alsof ze ieder moment het eten van gisteravond kan uitbraken.

'Morgen ga je naar school,' zegt ze. 'Een kleine buurt-school, dat wel. Die is dichtbij, zodat je er lopend naartoe kunt. De nadruk ligt er op ecosysteemvakken, maar daar is niets aan te doen. Meer zit er nu niet in. De andere scholen zijn te ver hiervandaan en hebben te veel leerlingen. Boven-dien... bovendien moet je daar allerlei formulieren voor in-vullen en dat gaat nu niet. We hebben je al op de buurt-school ingeschreven; je wordt verwacht. Tenzij je je hebt bedacht en je niet meer naar school wilt.'

Na een lange stilte dringt het tot me door dat die laatste zin een vraag was. 'Nee,' antwoord ik, 'ik heb me niet be-dacht.' Ik moet het allemaal nog tot me laten doordringen. Naar school? Morgen? Ik dacht dat ik dat wel kon verge-ten. Waar komt dit opeens vandaan? Ik zwijg een tijdje om deze ommezwaai te verwerken, en dan zie ik het pas.

Haar ogen zijn nat en glazig. Ze heeft haar handen in haar schoot liggen, slap, met de handpalmen naar boven. De ge-stage woordenstroom is geëindigd en ze lijkt moe van de inspanning.

'Ben je gelukkig?' vraagt ze dan.

Ik knik. Is het een strikvraag? Dit is niet waar ze op uit is. Wat wil ze nou echt? 'Ja. Dank je,' zeg ik. Ze trekt me naar zich toe en ik voel haar onregelmatige ademhaling in mijn hals. Ze houdt me stevig vast, en net als ik denk dat ze me nooit meer zal loslaten, duwt ze me bij mijn schouders van zich af en lacht naar me. De slaphangende handen verstarren en ze knippert met haar ogen – en met een diepe zucht vindt ze de oneindige beheersing terug die bij Claire hoort. 'Ik heb dadelijk een afspraak met de timmerman, maar vanmiddag hebben we het er nog over.' Ze aarzelt een hele tijd en voegt er dan aan toe: 'Het regent niet meer. Ga toch lekker een eindje wandelen nu het nog kan.' Ze ziet lijkbleek.

Ook nog wándelen?

Ik ben sprakeloos. Ik kan alleen maar denken aan de vergulde figuur die in Lily's kerk aan de muur hing. Moeders levensbloed stroomt uit haar weg.

'Dank je,' zeg ik nog een keer, en ik loop naar de deur, maar voordat ik de keuken uit loop, kijk ik naar Lily, die aan het aanrecht staat: ze doet haar ogen dicht en gaat met haar hand naar haar voorhoofd, haar hart, de linker- en dan de rechterschouder.

%T%

Smeekbede

Ik hoor snikken
En dan een weesgegroetje.
Ik hoor een gepreveld gebed.
Beloften: als U... dan zal ik...
Jezus. Jezus.
Jezus.
Gesmeek en gekreun.
Op die duistere plek die me telkens weer opzoekt.
En voor het eerst herken ik de stem.
Het is Lily.

22

Wandeling

Binnen een paar tellen ben ik de deur uit. Ik ga naar school. Morgen. Vliegensvlug loop ik het trottoir over. Zal Moeder zich bedenken? Ik werp een snelle blik over mijn schouder om me ervan te verzekeren dat ze niet achter me aan komt. *Vrijheid*. Die voelt net zo fris en licht als de blauwe lucht. Maar dan moet ik aan haar bleke gezicht denken. Die aarzelende beslissing. Ik ga sneller lopen. Afstand is mijn redding. Ik ontvlucht de gesloten wereld, op weg naar een wereld die ik nog niet ken.

Hen.

Moeder zei dat het gevaarlijk zou kunnen zijn. *Voor hen.* Is ze bang dat ik anderen iets zal aandoen? Mijn klasgenoten? Dat zou ik nooit doen. Maar de oude Jenna misschien wel? Heb ik Kara en Locke ooit iets aangedaan? Zijn ze daarom niet langer mijn vrienden?

Maar meneer Bender is er nog. Hij telt als vriend. Ik ga naar hem toe.

Door het gestegen water in de beek kan ik niet van onze tuin naar de zijne lopen, dus neem ik de weg die om zijn huis heen loopt. Ik ken zijn adres niet en weet niet hoe zijn huis er aan de voorkant uitziet, maar ik weet wel dat het het laatste huis van zijn straat moet zijn, net als dat van ons.

Ook al regent het niet meer, de goten zijn net riviertjes. Als ik van ons trottoir de straat wil oversteken, moet ik eroverheen springen. Ik loop naar het midden van de weg. De lucht ruikt naar nat zand en eucalyptus. Morgen om deze tijd zit ik op school. Dan ga ik nieuwe vrienden maken. Ik krijg mijn eigen leven. Het leven van Jenna Fox. Van mij, wat dat ook mag betekenen.

Het huis van onze buren, een enorm pand in tudorstijl, is donker en stil. Hetzelfde geldt voor het huis ernaast. Maar bij het gigantische vakwerkhuis zie ik activiteit. Een wit hondje blaft naar me door de tralies van een hek. Ik blijf staan om ernaar te kijken. Een vrouw roept me, en ik draai mijn hoofd naar de oprit, waar ze de rommel aan het opruimen is die de storm heeft achtergelaten.

'Sorry, hoor,' zegt ze. 'Hij denkt dat hij een waakhond is. Maar wees maar niet bang, blaffende honden bijten niet. Hij doet geen vlieg kwaad.'

Ik knik. Ik was ook niet bang dat hij me zou bijten. Het is een hond, en honden blaffen nu eenmaal. Had ik bang moeten zijn? Doen buren dat altijd, elkaar waarschuwen? Zoals meneer Bender mij heeft gewaarschuwd voor het witte huis aan het einde van mijn straat? Doen ze dat gewoon om aardig te zijn en is het een van die subtiele dingen die in mijn hoofd door de war zijn geraakt? En wie ontgaat er nou iets, mij of die anderen?

De vrouw steekt haar hand op, houdt hem even stil en zwaait dan. Gevolgd door een glimlach. 'Alles goed?' vraagt ze.

'En met u?' vraag ik. Misschien moet ik interesse tonen voor mijn buren? Ze gaat abrupt verder met vegen en ik loop door.

Ook al is het ochtend, de lucht is nog donker door de dichte bewolking en in het volgende huis brandt licht. Als ik dichterbij kom, zie ik door een groot raam boven de deur het schijnsel van een kroonluchter. Ook achter andere ramen, waar de gordijnen dicht zijn, branden lampen. In de zuilen aan weerskanten van de voordeur zitten scheuren over de hele lengte, en er zijn stukjes beton uit. Ik stel me voor dat die zijn losgeraakt en gevallen tijdens de laatste aardbeving en dat de zuilen nooit zijn hersteld, maar toch ziet het huis er verder verzorgd uit. Beter dan dat van ons. Het is geen angstaanjagend huis, in ieder geval niet van de buitenkant. De voordeur gaat open. Betrapt. Ik loop snel verder voordat ze me zien, maar het is al te laat. Een gezicht, in schaduwen gehuld, bukt om de krant van de mat te rapen, maar de gestalte komt weer omhoog zonder krant. Hij doet een stap naar voren. Het is een jongen. Net als de jongen die ik bij het missiehuis heb gezien is hij lang en leuk om te zien, maar zijn haar is net zo wit als dat van de andere jongen zwart was. Het is kort en ongekamd, met krulletjes die alle kanten op pieken.

'Hallo,' roept hij. Hij heeft ook een leuke stem.

'Hallo.'

'Ben jij nieuw hier?'

'Ja.'

'Welkom. Ik ben Dane.' Hij glimlacht. Zelfs vanaf de straat kan ik zien hoe wit zijn tanden zijn.

'Hallo,' zeg ik nog een keer.

Ik wil weglopen, maar mijn voeten lijken wel aan de grond genageld. Hij heeft een bloot bovenlijf en zijn pyjamabroek hangt gevaarlijk laag. Schouderophalend hijst hij hem op. Stond ik ernaar te staren?

'Ik ga naar binnen,' zegt hij. 'Leuk je ontmoet te hebben.'

'Dag Dane,' antwoord ik, en wonder boven wonder komen mijn voeten los van de grond en kan ik weglopen.

Als er zo weinig gebeurt in je leven, kan een eenvoudige ont-moeting wel een toneelstuk in drie bedrijven lijken. Onge-looflijk. Ik speel de beelden telkens opnieuw af in mijn hoofd terwijl ik verder loop naar het huis van meneer Ben-der. Dane. Wit huis. Witte pyjama. Witte tanden. Helemaal niet eng, het enige enge was dat ik als aan de grond gena-geld op straat bleef staan.

23

Personage

Het huis is gemakkelijk te vinden. Links. Links. Links. Hooguit tien minuten lopen. Hij is verbaasd me te zien, maar hij nodigt me uit om binnen te komen.

'Koffie?'

'Ik mag niet drinken. Ik bedoel: ik drink geen koffie,' zeg ik.

Meneer Bender roert room door zijn koffie. Hij biedt me sinaasappelsap, melk, een bagel en een muffin aan. 'Ik volg een speciaal dieet,' zeg ik.

'Last van allergieën?'

'Nee. Gewoon een speciaal dieet.'

Hij knikt. Het is een knik die zegt: ja, daar weet ik alles van. *Wat weet hij van me?* Hij zei laatst dat je alles over je buren kunt vinden op het net. Heeft hij over mij ook iets ontdekt?

'Hebt u foto's gemaakt van de Dennenslang?' vraag ik.

'Ja, tientallen. Ik moet nu de mooiste uitzoeken om ze naar mijn zaakwaarnemer te sturen.'

'Zijn er ook foto's bij waar de vogeltjes op staan?'

'Een paar. En sommige zijn ontzettend goed gelukt. Ik heb mazzel gehad.'

'Mag ik ze zien?'

'De foto's?'

'Nee, de vogels.'

Onze voetstappen maken een soppend geluid op de door-weekte grond. Het pad naar de tuin ligt vol plassen. Meneer Bender stapt er met grote passen overheen, maar ik trap ermiddenin. 'Ik weet niet of er nu veel zullen zijn,' zegt hij. 'Met die storm en zo.'

Eén is voor mij genoeg.

We gaan op het boomstronkbankje zitten. Inderdaad, er zijn niet veel vogels. Twee maar, de rest houdt zich nog schuil door de storm. Maar die twee die er wel zijn, gaan alleen op zíjn hand zitten.

Na twintig minuten bergt hij het vogelzaad op en lopen we terug naar het huis. Hij schenkt nog een kop koffie voor zichzelf in en ik blader door de foto's van de Dennenslang.

'Zit er maar niet over in, Jenna.'

Waarom denkt hij dat ik ergens over inzit? En waarom zou het eigenlijk zo belangrijk zijn of een vogeltje wel of niet op mijn hand wil zitten? Waarom denkt hij dat ik me daar iets van aantrek?

'Sommige dingen hebben tijd nodig,' zegt hij.

Te veel dingen hebben tijd nodig. En ik heb al zoveel tijd verloren. Anderhalf jaar lijkt voor mij wel een heel leven. 'Ik heb niet zoveel tijd,' zeg ik tegen meneer Bender.

Hij moet lachen. 'Natuurlijk wel. Je bent pas zeventien, je hebt nog zeeën van tijd.'

Ik leg de foto's op tafel.

Ik heb hem helemaal niet verteld dat ik zeventien ben.

'Hoe weet u dat, meneer Bender?' vraag ik. 'Van het net? Ben ik een van de buren over wie u informatie opzoekt?'

Hij schenkt zijn koffiebeker nog eens vol. 'Ja.'

Hij verontschuldigt zich niet eens. 'Schaamt u zich niet voor uw nieuwsgierigheid?'

'Het is geen nieuwsgierigheid, ik moet weten wie mijn buren zijn.'

Misschien. Misschien moet ik dat ook weten. 'Dan moet ik u iets opbiechten,' zeg ik tegen hem. 'U bent niet de enige die nieuwsgierig is geweest. Ik heb ook het een en ander nagetrokken en ik ben wat meer over u te weten gekomen.'

'O?' Hij komt met opgetrokken wenkbrauwen tegenover me zitten.

'Hebt u iets aan uw uiterlijk laten doen, meneer Bender? Of hebt u het gewoon ontzettend getroffen met uw genen?'

'Hoezo?'

'U ziet eruit als vijfenveertig. Hooguit vijftig.'

Hij geeft geen antwoord.

'Maar de kunstenaar Clayton Bender is vierentachtig jaar geleden geboren. Of u ziet er heel goed uit voor uw leeftijd, of...'

'Verwacht je nou dat ik de zin afmaak?'

'Nee. Ik heb al bedacht dat u Clayton Bender niet kunt zijn. Niemand heeft zúlke goede genen. Ik weet alleen niet wie u dan wel bent. Misschien wel een seriemoordenaar?'

Hij glimlacht. 'Je hebt veel fantasie. Ik ben bang dat het minder dramatisch is.' Hij neemt een grote slok van zijn koffie. 'Maar wel zo serieus dat het geheim moet blijven. Er zijn maar een paar mensen die ervan weten. Mijn zaakwaarnemer, bijvoorbeeld. Hij heeft me geholpen de persoonlijkheid aan te nemen van de eigenzinnige artiest die iedereen op afstand houdt. Je hebt gelijk: ik ben niet Clayton Bender, maar ik heb dertig jaar geleden zijn naam aangenomen.'

'Was uw eigen naam niet goed genoeg?'

'De naam wel, maar het bijbehorende leven niet.'

'Waar is de echte meneer Bender gebleven?'

'Die is dood.'

'Hebt u hem vermoord?'

Hij moet lachen. 'Nee, Jenna, ik verzeker je dat hij een natuurlijke dood is gestorven.'

'Waar kende u hem van?'

Hij staat op en loopt naar het aanrecht, waar hij het laatste beetje koffie voor zichzelf inschenkt. 'Toen ik zestien was, ben ik van huis weggelopen. Ik had geen keus.' Hij draait zich naar me om. 'Ik was in aanraking gekomen met mensen die me erg veel kwaad konden doen. Van een vriend kreeg ik geld en zijn auto, en zo ben ik uiteindelijk aan de andere kant van het land verzeild geraakt en stond ik bij Bender voor de deur. Hij woonde heel afgelegen, in de woestijn, en hij zocht een hulpje. Ik hielp hem en hij hielp mij, zonder dat er vragen werden gesteld. Ik ben drie jaar bij hem gebleven.'

'Was hij toen al kunstenaar?'

'Zoiets, ja.' Hij haalt lachend zijn schouders op en komt weer bij me aan tafel zitten. 'Hij kon de eindjes aan elkaar knopen dankzij een net-bedrijfje in de verkoop van natuurlijke kleurstoffen aan kunstenaars over de hele wereld, en de rest van de tijd zwierf hij door de woestijn om stenen te verzamelen. Wanneer het hem uitkwam, stapelde hij die op tot monumentjes. Ik snapte er niks van, maar het deed hem blijkbaar goed. En mij ook, want het hielp me om niet te hoeven nadenken. Misschien deed hij het daar ook wel voor. Op een dag ging hij alvast de deur uit om stenen te zoeken, en toen ik hem had ingehaald, was hij dood. Ik heb nooit geweten waaraan hij is gestorven. Een hartaanval of een beroerte misschien. Ik heb hem begraven en zijn eigen monument voor hem gemaakt, en daarna heb ik nog een jaar gewacht of er iemand voor hem zou komen. Familie, vrienden, iemand die het huis kwam opeisen... maar er kwam niemand. Intussen ging ik door met stenen stapelen. Ik leefde van zijn spaargeld, maar ik wist dat dat niet eeuwig kon duren. En op een dag wist ik het opeens: ik hoefde me niet eeuwig schuil te houden, ik kon Clayton Bender worden. Ik had zijn geboorteakte en andere papieren, en het leek wel of geen mens ter wereld hem kende. Sinds die tijd ben ik Bender.'

'En uw oude leven dan? Mist u dat nooit?'

'Delen ervan. Ik vind het jammer dat ik mijn ouders nooit meer heb gezien.'

'Of uw beste vriend?'

Hij haalt zijn schouders op en wendt zijn blik af, zodat ik zijn ogen niet kan zien. 'Dus nu ken je mijn geheim,' zegt hij. 'Zul je het niet doorvertellen?'

'Ik heb niemand om het aan te vertellen. Maar als ik die wel had, zou ik het nog niet doen.'

'Mooi zo. En vertel je me dan nu jouw geheimen?'

'Die heb ik niet,' zeg ik. 'Althans, niet voor zover ik me kan herinneren.'

Het dringt tot me door dat meneer Bender er beter in is geslaagd op het net informatie over Jenna Fox te vinden dan ikzelf. Als hij weet dat ik zeventien ben, wat weet hij dan nog meer? Kent hij geheimen die ik zelf niet eens ken? Mijn handen trillen. Ik heb ze nog nooit zien trillen. Ik staar ernaar.

'Jenna?'

Ik klem mijn handen in elkaar om ze stil te houden. Voor het eerst zie ik dat ze niet precies in elkaar passen. Het voelt alsof ik twaalf vingers heb in plaats van tien. Ik vouw ze telkens anders, maar het blijft vreemd. Waarom glijden ze niet soepel in elkaar?

'Jenna? Is er iets?'

Mijn handen.

Ik schuif ze onder mijn bovenbenen, uit het zicht. *Hij is bewust naar informatie op zoek gegaan.* Ik kijk hem aan.

'Wat bent u nog meer over me te weten gekomen, meneer Bender?'

'Ik geloof niet dat ik...'

'Alstublieft.'

'Ik heb gelezen dat je gewond bent geraakt bij een ongeluk. Ze hadden niet gedacht dat je het zou halen.'

De kamer tolt om me heen en ik klamp me vast aan de tafelrand. Erger nog, ik heb het gevoel alsof ik ieder moment kan dichtklappen. Het lijkt wel of er met het hardop uitspreken van het woord 'ongeluk' een knop wordt omgedraaid waarmee alles in mijn binnenste zwart wordt. Ga ik het onderwerp daarom uit de weg als ik met Vader en Moeder ben? Ik moet moeite doen om mijn blik weer scherp te stellen. *Zoek het uit. Je moet het weten.* 'Wat voor een?'

'Wat voor ongeluk?'

'Ja. Dat bedoel ik.'

'Een auto-ongeluk.'

Een *auto*-ongeluk? Waarom had ik iets anders verwacht? Iets vreselijkers? Er gebeuren dagelijks duizenden auto-ongelukken. Het is tamelijk gewoon, een auto-ongeluk. Ik kan het bijna hardop zeggen. Alleen hadden anderen blijkbaar niet verwacht dat ik het zou overleven – maar ik heb het wél overleefd. Dat is niet zo gewoon.

'Verder nog iets?'

'Het artikel ging meer over je vader. Alles wat hij doet is nieuws, en hij heeft een tijd vrij genomen van zijn werk om bij jou te kunnen zijn. Aangezien je minderjarig was, is veel van de informatie niet toegankelijk, maar de *Boston Globe* is erachter gekomen dat je toestand volgens het verplegend personeel zeer ernstig was.' Hij zwijgt even. Graaft hij in zijn geheugen of zit hij een leugen te verzinnen? Ik kijk aandachtig naar zijn ogen. De pupillen schieten naar links en dan weer naar mij. 'Dat is zo'n beetje alles wat er in dat artikel stond, Jenna.'

Hij liegt.

Weet hij dat ik geen geheugen heb? *Wat nog meer?* Maar vreemd genoeg lijkt hij toch vrienden met me te willen blijven, dus ik ga er niet op door. Voorlopig niet. 'Ben ik geslaagd?' vraag ik.

'Waarvoor?'

'Het Bender Buren Examen.'

Hij glimlacht. 'Je was al geslaagd toen ik je voor het eerst sprak, Jenna. Je was eerlijk en brutaal. Daar hou ik van.'

'Brutaal?'

'Je kwam zomaar naar me toe en zei wat je van mijn werk vond. Je was nergens bang voor.'

Maar ik ben juist overal bang voor. Voor mezelf. Voor Moeder. Lily. Vrienden die 's nachts komen spoken. Ik ben zelfs bang om naar school te gaan, terwijl ik daar zelf om heb gevraagd. Als ik brutaal ben, zit die brutaliteit wel heel erg diep, op een plekje waar ik hem misschien nooit zal vinden.

24

Jenna Fox – jaar 12

Jenna is aan zee. Ze heeft een grote hark in haar handen. Er waaien plukjes haar uit haar paardenstaart in haar gezicht. Ze lacht naar de camera en zegt: 'Mam, leg dat ding eens weg en kom ons helpen!' Toen ik twaalf was, noemde ik haar nog 'mam'. Wanneer ben ik haar Claire gaan noemen? Ik weet het niet meer, maar ik voel hoe hard dat woord over mijn lippen komt. De camera wiebelt en Claire roept: 'Ik kom zo. Nog heel even.'

Was dit een gezinsuitje? Een dagje naar het strand? Alle aspecten van Jenna's leven zijn vastgelegd. Vader komt in beeld met een zilveren emmer in zijn hand, waarmee hij voor mijn neus heen en weer zwaait. 'Van mij alleen,' zegt hij plagerig. 'Ik hoef geen honger te lijden. Dat kunnen we van jullie niet zeggen.'

Jenna lacht, dat meisje dat ik ben, en ze roept: 'Hij heeft wel honderd mosselen, mam! Zet neer die emmer, anders verhongeren we nog.' Jenna zet haar hark in het zand en de camera zoomt in op haar blote, zanderige voeten en gaat dan omhoog langs haar hele lichaam, alsof iedere centimeter bewonderd wordt. Uiteindelijk houdt het beeld stil op mijn gezicht. Liefdevol. De camera kijkt. Waarnaar? Het enthousiasme? De blozende wangen? De verwachtingsvolle blik? Naar de ademhaling, de hartslag en hoop van Matthew en

Claire Fox? Even zie ik hoe gewichtig dit is, dat kan ik zien aan Jenna's gezicht. *Mijn* gezicht. 'Mam!' zegt Jenna smekend. De camera wiebelt weer en wordt dan uitgeschakeld, tot er een nieuw beeld verschijnt, van een kampvuur...

'Stop!' De disk gehoorzaamt. *Een deken. Een blauwe. Een veldfles.*

Ik denk dat ik weet wat er dadelijk komt.

Er gaat een kriebel door me heen. *Ik weet het.* Ik zie een tafereel voor me dat helemaal af is. Jenna in kleermakerszit op een blauwgeruite deken in het zand. Een beker dampende chocolademelk in mijn handen. Warme chocola met drie dikke marshmallows erin. Ik was dól op chocolademelk. Smaak! Ik schrik van mijn eerste herinnering aan smaak. Hoe heb ik dat zomaar kunnen vergeten? De puzzelstukjes passen in elkaar. Het is alsof er een raam wordt opengezet en de herinneringen naar binnen waaien. Dagen. Weken. De details van drie weken verzamelen zich in mijn hoofd, stuk voor stuk herinnerd en scherp.

Ik ga dichter bij het scherm op mijn bureau zitten. Mijn hoofd gonst. 'Play,' zeg ik. Het beeld gaat van het kampvuur naar mij. Ik zit op een blauwe deken. Ik zet een beker warme chocola aan mijn mond en lach met een dikke schuimsnor.

'Stop.' Ik leg mijn hoofd op het bureau. Doe mijn ogen dicht en laat alles heel goed tot me doordringen.

Ik wist het. Een heel stuk van mijn leven is terug.

Drie volle weken. Het lijkt wel een heel leven.

Ik doe mijn ogen weer open. 'Moeder!' roep ik. Ik ren mijn kamer uit, de trap af, naar de keuken. 'Lily!'

Geen reactie. Ik zie door het raam dat Moeder met een van de werkmannen staat te praten. Ze wijst naar de kas. Lily is ongetwijfeld daarbinnen. Ik hol naar de keukenkast en zoek naar ingrediënten. Pak cacao en suiker van de plank.

Marshmallows! Lily heeft ook marshmallows! Ik klem de zak onder mijn arm en laat hem op het aanrecht rollen. Melk! Een steelpan! Ik weet het weer! Ik roer. Ik weet hoe het fornuis werkt dat ik nooit eerder heb gebruikt. Ik voel me voldaan, sterk, beter dan ik me al die tijd sinds mijn ontwaken heb gevoeld. *Ik ga warme chocolademelk maken. Ik ben dol op chocolademelk.* Ik zoek in de kastjes naar een beker. Pak de grootste die ik kan vinden en giet de dampende melk erin. Dan ruk ik de zak marshmallows open en laat er een paar in vallen, net als Moeder en Lily binnenkomen door de achterdeur. Ze blijven staan en staren naar mij en de troep die ik heb gemaakt.

'Ik weet het weer! Ik ben gek op chocolademelk!' Ik hou de beker omhoog om te proosten op deze nieuwe herinnering. Ik verwacht een glimlach – in ieder geval van Moeder – maar als ik de beker aan mijn lippen zet, is de afschuw van haar gezicht te lezen en ze roept: 'Nee!'

%A%

Smaak

Misschien hou ik niet van warme chocolademelk.
En misschien zijn de herinneringen aan die drie weken niet echt.
Misschien herinner ik me niet echt
dat ik me op school stiekem opmaakte op de toiletten.
Of dat ik een dubbele pirouette maakte en heel bevallig eindigde,
alsof ik echt vleugels had.
Of dat ik op de bank kroop met een hond die ik Hunter
had genoemd.
De warme chocolademelk smaakte nergens naar.
Net als mijn voedingsstoffen.
Ik weet dat je veel kunt vergeten,
maar smaak toch niet?
Toen de beker uit mijn vingers glipte,
ving Lily hem op.
Er kwam bijna geen chocolademelk op de vloer terecht.

26

School

Ik weet zeker dat het Claires schuld is. Alles. Waarom loopt ze zo te zeuren en te bazen? Voelt ze zich schuldig? Ze huilde toen ik de beker liet vallen. Ik kon haar wel sláán. *Het is van mij, verdomme. Van mij.* Maar het zal ook wel van haar zijn, als je ziet hoe ze zich gedraagt. Alsof al mijn tekortkomingen van haar zijn. Misschien ben ik wel haar bezit. Ze probeerde gauw een verklaring te geven. Het is maar tijdelijk, je smaak komt wel weer terug. Eigenlijk mag je helemaal niet eten of drinken. Ik heb me een uur lang in de badkamer opgesloten en naar mijn tong staan staren. Die is heel normaal: ruw en roze, vlezig. Dus moet er bij mij vanbinnen iets mis zijn. Er zit vast ergens een draadje los. Ik vertrouw haar niet. Ze drentelt om me heen, lacht, huilt en zet alles naar haar hand. Te veel. Ik moet daar weg.

Ik doe het autoportier open. Zij doet het portier aan haar kant open.

'Nee,' zeg ik. 'Ik ben zeventien, ik kan dit wel alleen.'

'Maar Jenna...'

Ik heb in die paar weken tijd leren glimlachen. En ik begin ook te leren om de dingen naar mijn hand te zetten. 'Claire,' zeg ik, om haar in de auto te houden.

Ze trekt het portier weer dicht. 'Nu zeg je het weer.' Ze kijkt strak voor zich uit. Gekwetst. In mijn binnenste stapelt alles zich op. Naar school, bazigheid, wantrouwen en twij-fels. Het verschijnt allemaal achter die gekwetste blik op haar gezicht.

Ik hoor woorden, woorden van lang geleden die zich heb-ben opgehoopt. *Sorry. Het spijt me zo.* Woorden die gevan-genzaten in mijn hoofd en die niet uitgesproken konden worden, bevroren in mijn mond, achter mijn roerloze lippen. Waardoor ik er nog meer naar verlangde ze uit te spreken.

Het is al goed, lieverd. Het is al goed. Stil maar. Het komt allemaal goed. Claire die steeds antwoord gaf terwijl ik niets had gezegd, die me in de ogen keek en alle pijn weer-spiegelde die ze daar zag.

Ik stap uit en buk me om door het raampje naar binnen te kijken. Claire lacht geforceerd. Haar blik houdt me vast. *Het spijt me zo.* Ze laat het raampje zakken. Ik zeg nog min-stens tien overbodige dingen – dingen die we al besproken hebben – om haar aan de praat te houden. Ik zal vanmid-dag mijn voedingsstoffen innemen. Zal niet over het onge-luk praten. Ik sta vanmiddag om drie uur buiten. Als er iets is, bel ik haar.

Ik ben bang dat ze zich op het laatste moment zal beden-ken, dat ze weer over me gaat bazen, dat ze me zal dwingen weer in de auto te stappen door alleen maar mijn naam te zeggen. Het is alsof we strijden om de macht over Jenna Fox. 'Ik red me wel,' zeg ik na een tijdje. En gelukkig, als door een wonder rijdt ze weg zonder nog iets te zeggen.

Ik draai me om naar de buurtschool. Nou ja, school... het is niet meer dan een leegstaand makelaarskantoortje. Ik zie het losgeschroefde bord tegen de muur staan, bijna hele-maal overwoekerd door onkruid. Voor de ramen hangen stoffige jaloezieën. Een dun laagje lichtgele verf doet zijn best om de boel op te fleuren. Het pand ziet eruit als een oude woonboerderij. Misschien is het ooit een boerderij geweest. Nadruk op ecosystemen? In Boston zat ik op de Central Academy, een grote scholengemeenschap. Dat heeft Claire me verteld, maar ik wist het al voordat ze het me vertelde. Ik weet nog dat Kara, Locke en ik samen spijbelden. We vonden het eng, maar we hoopten dat we niet gemist zouden worden tussen de honderden andere leerlingen. Ik weet niet hoe het op zo'n buurtschooltje gaat, ik weet alleen dat het klein is. Honderden, misschien wel duizenden leerlingen minder dan op een scholengemeenschap. Hier gaan ze maar een paar dagen per week naar school. Wat voor types kiezen voor zo'n klein, vervallen schooltje terwijl ze ook met een heleboel anderen op een grote scholengemeenschap zouden kunnen zitten? Het is in alle opzichten anders, maar omdat ik me weinig herinner van vroeger, zou dat voor mij niet uit moeten maken. *Waarom wilde ik zo nodig weer naar school?*

Ik loop de trap op en ga naar binnen.

27

Dane

'Jij bent zeker Jenna?'
Het kamertje is klein. Als ik mijn armen zou spreiden, zou ik bijna allebei de muren kunnen raken. Er staat een bureau en er zit een dikke, ronde vrouw die naar me lacht. Ze weet mijn naam al. Ik staar naar haar knaloranje haar.

Het liefst zou ik ervandoor gaan en Claire terugroepen.

'Jenna was het toch?'

'Ja,' zeg ik. 'En u bent...?'

'Mitch.' Ze blijft zitten, maar steekt haar hand naar me uit. Als ik die beetpak, blijkt hij zacht en warm en verrassend sterk te zijn: ze knijpt hard in mijn vingers. 'Ik ben de schoolhulp. Dat betekent dat ik hier zo'n beetje alles doe.'

'Behalve onkruid wieden?'

Ze aarzelt even en begint dan te lachen. 'Je past hier goed, Jenna.' Ze graait achter zich en pakt een klein netbook, dat ze aan mij geeft. 'Je hoeft alleen een vragenlijst in te vullen en dan breng ik je naar de anderen.'

Ik ben blij dat het standaardvragen zijn, over mijn hobby's en mijn sterke en zwakke punten. Mijn sterke punten? Dat is makkelijk. Ik blijf nooit lang boos. Dat kan ook bijna niet; hoe kun je boos blijven als je niet meer weet waarover je boos zou moeten zijn? Zwakke punten? 'Vergeetachtig' is nog zacht uitgedrukt. Ik kies voor iets wat gemakkelijker te interpreteren is. Sterkste punt: geschiedenisfanaat. Zwakste punt: geen. Bij de laatste vraag moet ik even nadenken: waarom heb je gekozen voor een school waar de nadruk ligt op ecosystemen?

Daar heb ik niet voor gekozen. Dat heeft Claire gedaan.

'Klaar?' vraagt Mitch.

Min of meer. 'Ja.' Ik klap het netbook dicht en geef het haar terug. Nu weet ik weer waarom ik naar school wilde. Ik heb vrienden nodig. Vrienden, geen vragen. Die heb ik al genoeg.

'Mooi, dan ga ik je voorstellen aan de andere leerlingen – en aan dr. Rae, je mentor. Of eigenlijk coördinator. De meeste vakken leer je hier met zelfstudie, waarbij ieder van jullie de rol van medewerker/docent op zich neemt. Maar daar zal ze je alles over vertellen.' Ze stopt het netbook in een dossier bij vier andere, staat op en loopt voor me uit een deur door, een gang in die kraakt onder haar zware voetstappen.

Als ze de achterste deur voor me openhoudt, ga ik met haar naar binnen. Het is een groot, modern ingericht lokaal. Aan de ene kant staan stoelen en drie lange bureaus, zoals je die in bibliotheken ziet. Aan de andere kant een stuk of vijf net-stations. Het middelste gedeelte wordt vrijwel helemaal in beslag genomen door twee versleten leren banken en vier luie stoelen. Ik zie dat de bekleding van de stoelen dezelfde cheddarkleur heeft als het knaloranje haar van Mitch. Er zitten twee jongens en een meisje. Ze zien er geen van drieën uit alsof ze dr. Rae zouden kunnen zijn.

'Waar is Rae?' vraagt Mitch.

'Die heeft een bespreking,' antwoordt het meisje.

Mitch trekt haar wenkbrauwen op. 'Met meneer Collins, neem ik aan?'

Niemand geeft antwoord. Ik maak eruit op dat het geen

vraag was, want Mitch lijkt tevreden en zegt: 'Ik wil jullie voorstellen aan Jenna. Ze komt bij jullie in de groep.'

De jongen die met zijn rug naar me toe zat staat op en draait zich om, en ik herken hem. Het is de jongen van het missiehuis, met de vieze handen en het zwarte haar. 'Ethan,' zegt hij. Hij lacht niet en geeft me geen hand, maar zijn ogen zijn strak op de mijne gericht.

Het meisje staat moeizaam op. Ze loopt op krukken. 'Hier hoop ik gauw vanaf te zijn,' zegt ze. Ze leunt op één kruk en steekt de andere hand naar me uit. 'Ik ben Allys.' Haar hand is stijf en koud.

Mitch draait zich om zonder de rest van de kennismaking af te wachten. 'Rae zal zo wel komen, veel succes,' zegt ze bij het weggaan.

De andere jongen komt naar me toe, veegt zijn handen af aan zijn spijkerbroek en stopt ze in zijn zakken; blijkbaar heeft hij besloten me geen hand te geven. Hij is mager en klein. 'Ik ben Gabriel. Hoi.'

'Hallo,' zeg ik tegen hen allemaal. 'Waar is de rest van jullie klas?'

'Dit is alles, kleintje. Welkom bij de Kneuzenclub.'

Ik draai me met een ruk om. De hele deuropening wordt gevuld door een jonge man.

'Hou je kop, Dane.'

Dane doet alsof hij Ethan niet hoort en lacht naar me. 'Dus dit is onze nieuwe aanwinst. Errug leuk. Ethan heeft voor de verandering gelijk, jij valt zeker niet in de categorie kneuzen.' Hij bekijkt me van top tot teen, alsof hij een beslissing moet nemen. 'Ken ik jou niet ergens van?'

'Ik stond een paar dagen geleden bij...'

'... bij ons voor de deur. Ja, nu weet ik het weer. Dus jij bent Jenna Fox.'

Ik heb mijn achternaam niet genoemd. Mitch toch ook niet?

Dane slentert langs me heen en ploft op de bank. Hij glimlacht van oor tot oor. Zo te zien is hij de meest opgewekte van het groepje.

'Je kunt je spullen hier opbergen, als je wilt,' zegt Allys, en ze wijst naar een kast achter de bureaus. Ik heb alleen een rugzakje bij me met daarin een flesje met mijn voedingsstoffen, maar toch loop ik naar de andere kant van het vertrek om het op te bergen.

'Aha!' roept Dane uit. 'Ik had het mis, je hoort wél bij de club.'

Ik draai me naar hem om. 'Pardon?'

'Je voeten.'

'Hou je mond, Dane.'

'Wat nou? Moeten we soms net doen alsof ze niet raar loopt? En dan heb jij zeker al je vingers nog, Allys, en Ethan heeft zogenaamd een onweerstaanbaar karakter.'

'Val dood,' zegt Ethan en hij laat zich in een van de stoelen zakken.

Gabriel kruipt in een hoekje achter het net-station. Hij maakt zich klein en lijkt blij te zijn dat hij niet meer in beeld is.

Allys loopt moeizaam terug naar haar stoel. 'Je moet hem leren negeren, Jenna. Dat doen wij ook.'

Loop ik raar?

'Geeft niet,' zeg ik. 'Ik heb een...' *Niet over het ongeluk praten.* '... een ziekte gehad. Binnenkort zal het wel beter gaan.'

'Dat zeggen we allemaal,' antwoordt Dane.

Dr. Rae stormt het lokaal binnen. 'Jenna, je bent er. Welkom! En jullie hebben al kennisgemaakt, zie ik. Dat is mooi.'

Mooi.

Dat woord moet ik toch nog eens opnieuw opzoeken.

28

Ethan

Het is mijn beurt voor een 'bespreking' met Rae. Ze wordt niet graag doctor genoemd. We zijn allemaal leercollega's, zegt ze, en ze vertelt me over zichzelf. Aangezien we collega's zijn, zegt ze, moet ik net zoveel over haar weten als zij over mij. Ze is achtenveertig, ouder dan Claire, maar ze ziet er wel tien jaar jonger uit. Ik vraag me af waardoor het komt dat Claire zo oud is geworden. Rae vertelt dat ze als tiener vanuit Ohio hierheen is gekomen. Het viel niet mee om op die leeftijd te moeten verhuizen.

'Was het voor jou ook moeilijk om uit New York weg te gaan?' vraagt ze.

New York. Aha. Ik mag van Moeder niet vertellen dat we uit Boston komen. Vader wordt voortdurend lastiggevallen door verslaggevers en ze wil graag rust.

'Nee,' zeg ik. 'Ik ben erdoorheen geslapen.'

Ze glimlacht. 'Zo te horen ben je flexibel, Jenna, en je hebt gevoel voor humor. Daar zul je het ver mee schoppen.'

Ze mag van mij denken wat ze wil.

Ze legt me uit dat de docent/medewerkers ons op de drie dagen per week dat we bijeenkomen instructies zullen geven over de hoofdvakken. De eisen die de staat aan het onderwijs stelt zijn zó toegepast dat de nadruk op ecosystemen kan blijven liggen. Vanochtend, als ik mijn bespreking met haar heb, leidt Ethan hier een discussie met de anderen over *Walden* van Thoreau. Kennelijk is literatuur Ethans sterkste punt. Gabriel is docent/medewerker sommen en logica. Allys leidt natuurwetenschappen en ethiek, Dane kunstgeschiedenis. Wat er overblijft, doet Rae.

'Zou jij ons willen leiden met geschiedenis? We wilden net beginnen aan een discussie over Paaseiland en de...'

'Paaseiland is rond het jaar 300 gesticht door de Rapa Nui. Tegen het jaar 1000 was er sprake van ontbossing omdat de eilandbewoners ruimte nodig hadden voor de moai-bouw. Door het gebrek aan begroeiing ontstond er erosie, wat weer leidde tot het verlies aan bomen op het eiland. In 1600 waren er te weinig middelen om de bevolking nog langer in haar bestaan te voorzien, met als gevolg kannibalisme, dat...'

Als ik zie dat Rae me bevreemd aankijkt, hou ik mijn mond.

'Eh, ja, zo te horen ben je inderdaad goed in geschiedenis,' zegt ze.

'Ik weet ook veel van *Walden*, mocht Ethan hulp nodig hebben.' Veel? Ik weet er alles van, ik ken het vanbuiten. Maar dat zeg ik maar niet, want ik schrik er zelf van. Tot ze erover begon, kon ik me dat hele *Walden* niet herinneren. Ik moet dus ook wel dol op literatuur zijn geweest.

'Juist.' Ze kijkt weer op mijn vragenlijst. Ik weet al wat ze gaat zeggen voordat de woorden haar mond verlaten. *Zwakke punten. Geen zwakke punten?* Het schiet door me heen en blijft hangen. *Zwakke punten. Alsjeblieft, Jenna, we hebben je nodig.* Waarom zie ik nu de gezichten van Kara en Locke voor me? Zij kunnen niet mijn zwakke punten zijn geweest. Ze voelen eerder als sterke punten.

'Geen zwakke punten?'

'Ik heb ze niet opgeschreven.'

'Wil je het niet kwijt?'

Kwijt?
Ik ben bang.
Ik ben verloren.
Ik heb geen vrienden. Daar kom ik steeds weer op uit. Waarom zit dat me zo dwars?
Ik heb geen vrienden.
Over welk zwak punt zal ik haar vertellen?
'Ik loop raar,' zeg ik dan, en daar is ze tevreden mee.

De 'samenwerking' die ochtend duurt tot elf uur. Ik verbeter Ethans evaluatie van *Walden* twee keer. Ik wil vrienden met hem zijn, en vrienden helpen elkaar.

De tweede keer verheft hij zijn stem: 'Maar zijn afwijzing van het materialisme en de Industriële Revolutie was de reden van zijn vertrek naar Walden Pond en dat is de kracht van het hele...'

'Niet waar,' zeg ik. 'Het was net zozeer een persoonlijke tocht als een publieke. Hij wilde niet alleen een politiek statement maken, hij was ook op zoek naar zijn eigen ik.'

'Maar...'

'In het Besluit zegt hij: *Dat is leven tot op het bot, waar het het zoetst is.* En daarop voortbordurend: *Ik zat aan een tafel met een overvloed aan kostelijke spijzen en wijnen, en onderdanige bediening, maar oprechtheid en waarheid ontbraken; ik ging hongerig weg van deze ongastvrije dis.*'

'Maar hoe zit het dan...'

'En natuurlijk zegt hij al veel eerder ronduit: *Ik ging de bossen in omdat ik bewust wilde leven, om me alleen met het wezenlijke bezig te houden... Ik wilde het leven diep doorleven en alle merg eruit zuigen...*'

'Ja, zo is het wel duidelijk,' snauwt Ethan.

Dane, Allys en Gabriel staren me aan. Ethan wendt zijn blik af. Rae bladert snel door *Walden* en laat haar vingers langs de bladzijden gaan. Na een hele tijd kijkt ze naar me op.

Dane gaat staan. 'Het enige wat ik met Thoreau gemeen heb, is dat we allebei honger hebben,' zegt hij. 'Ik ben pleite.'

Rae kijkt op haar horloge. 'Elf uur. Ja, het is tijd voor de pauze. Bedankt, Jenna. En jij ook, Ethan.'

Dane is al weg. Rae's aandacht gaat uit naar Mitch en iets wat kennelijk belangrijker is dan ik.

De anderen blijven onhandig staan. Ik zie dat ik het evenwicht heb verstoord. Moeten ze het nieuwe meisje dat raar loopt bij hun plannen betrekken? Moeten ze de grenzen opnieuw afbakenen? Horen ze nu een plaatsje vrij te maken voor iemand die Ethan in de rede viel terwijl ze haar grote mond had moeten houden? Waarom zie ik dat nu pas in, nu het te laat is?

'De pauze duurt twee uur,' zegt Allys. 'Tijd om te eten, aan je eigen projecten te werken, besprekingen te houden – Rae is gek op besprekingen. Je mag zelf weten wat je doet.'

Gabriel gebaart over zijn schouder. 'Meestal halen we bij de supermarkt aan de overkant iets te eten. Ieder voor zich, zo'n beetje.'

Ieder voor zich. Oké. Dat is duidelijk.

Ik knik. 'Dan blijf ik...'

'Zin om mee te gaan?' vraagt Ethan.

29

Allys

Allys maakt haar been los en zet het tegen de tafel. 'Op school mag ik ze er niet afhalen, maar van deze hier heb ik nog steeds last.' Ze masseert haar stomp. Gabriel en Ethan eten gewoon door. Ik staar naar de stomp en dan naar het kunstbeen. 'Vind je het vervelend?' vraagt ze. 'Dan doe ik hem er weer...'

'Nee. Ik ben alleen... verbaasd. Ik had het niet gezien. Heb je een ongeluk gehad?'

'Nee, een bacteriële infectie. Nogal een heftige. Antibiotica hielpen niet, en tegen de tijd dat ze een vergunning hadden voor een extra sterk antibioticum was ik al één been kwijt. Dit hier.' Ze laat haar vingers over de stomp gaan en trekt een gezicht. 'Het eerste been dat eraf moet is het ergste.'

'Is dat andere dan ook een kunstbeen?'

'Ja, en ik heb ook kunstarmen. Mijn organen waren ook aangetast, daarom moet ik gigantisch veel pillen slikken.' Ze neemt een handvol pillen in en spoelt ze weg met water.

Mijn blik gaat van haar stomp naar haar handen. 'Ze zien er heel...'

'... echt uit?'

Ik knik.

'Dat krijg ik vaak te horen. Ja, ze kunnen veel tegenwoordig.' Ze trekt haar mouw op en laat me de nauwelijks zichtbare grens tussen kunsthuid en echte huid zien. 'Ze hebben zelfs mijn eigen moedervlekken en sproetjes erop overgezet.'

'Ja,' zegt Gabriel met volle mond. 'Ze heeft een compleet sterrenbeeld op haar andere arm.'

Ethan zegt niets. Hij kijkt alleen maar naar me terwijl hij zit te eten.

'Ja, het is mooi opgelapt, maar ik heb nog steeds fantoompijn. Het is pas een halfjaar geleden, dus ik hoop dat het nog overgaat. De biofeedbackbehandelingen hebben voor mijn armen en het andere been wel geholpen, maar voor dit been om de een of andere reden niet.' Ze houdt op met over haar stomp wrijven en pakt haar boterham. Ik kijk toe hoe de kunstvingers zich precies om het brood heen vouwen, als echte vingers. Ik wist wel dat er prothesen bestonden, maar volgens mij is dit de eerste keer dat ik er een van zo dichtbij zie. De huid ziet er even echt uit als die van mij. Allys kijkt me aan en ik wend mijn blik af. Ik heb al strafpunten gescoord door Ethan af te troeven, ik wil er niet nog meer door zo naar haar te staren. Ze hebben me toegelaten tot hun kringetje en ik wil hier graag blijven.

Ik leun achterover in mijn stoel en probeer ontspannen te gaan zitten. In een hoekje van de kleine supermarkt is het eetgedeelte. Er staan twee tafeltjes, elk met vier stoelen, bij de gang met de vruchtensappen. Gabriel en Allys hebben allebei een kant-en-klaar broodje uit het koelvak gepakt. Ethan heeft een appel gekocht, en een bonenburrito met kaas plus een flesje melk. Hoewel hij zelf heeft gevraagd of ik mee wilde, lijkt hij weinig zin te hebben om met me te praten. Ik probeer mijn mond te houden, maar dat valt niet mee omdat ik niet eet.

'Waar is Dane?' vraag ik. 'Die had toch zo'n honger?'

Gabriel kijkt smalend. 'Dane eet niet met ons mee.'

'Omdat we kneuzen zijn?' vraag ik.

'Spreek voor jezelf!' zegt Ethan kwaad. Hij praat hard en zwaait met zijn vuist.

Ik weet niet wat ik moet zeggen. Ik bedoelde helemaal niet dat ik hem een kneus vind. Ik herhaalde gewoon de woorden van Dane, maar zelfs dat durf ik nu niet uit te leggen. Misschien lijkt het dan wel alsof ik hem weer verbeter. Ik kijk naar buiten en krijg een raar gevoel vanbinnen. Moet ik huilen? Of is het iets anders? Mijn ogen blijven droog, maar het is alsof er iets naar buiten wil vanuit mijn binnenste. Ik richt mijn blik op de verlaten weg. *Hou je in. Hou je in. Hou je mond, Jenna. Mond houden.*

'Nou, in één ding had Dane in elk geval gelijk,' zeg ik, en ik draai me om van het raam en kijk Ethan recht in de ogen.

'Wat dan?' vraagt hij uitdagend.

'Je hebt inderdaad een onweerstaanbaar karakter.'

Geweldige timing, Jenna. Dit is het ideale moment om opeens een grote mond te hebben.

Gabriel houdt op met kauwen en zet grote ogen op. Allys legt haar boterham neer. Ethan blijft stomverbaasd zitten, alsof hij een klap in zijn gezicht heeft gekregen. De spanning blijft hangen als een elektrische schok, tot er iets geks gebeurt. Allys begint te grinniken. Eerst zachtjes, maar dan lijkt haar lach van ergens diep uit haar buik te komen. Ze steekt Gabriel aan, die zijn wangen volzuigt met lucht. Binnen een paar tellen zitten Ethan en ik ook te gieren; we kunnen onze boze blikken niet langer volhouden. Er vliegen stukjes brood uit Gabriels mond en we beginnen nog harder te lachen, tot Allys uiteindelijk zegt, terwijl ze haar buik vasthoudt: 'Ik mag jou wel, Jenna.'

Mijn gelach ebt weg en ik hoor een zachte stem in mijn hoofd, steeds opnieuw, tot ik daar alleen nog maar heel tevreden op mijn stoel zit. *Ik mag jou wel.* Dat zei ze. *Ik mag jou wel, Jenna.*

Ethans blik is nu milder. Hij kijkt naar me zoals hij keek op die dag dat ik hem voor het eerst zag, bij het missiehuis. 'Sorry,' zegt hij. 'Je zult me wel een eikel vinden.'

Eikel? Weer zo'n woord dat ik kwijt ben. Het zal wel irritant of bekrompen betekenen.

'Dat was me ontgaan,' zeg ik, en daar moet hij weer om grinniken.

'Dane heeft veel invloed,' zegt hij. 'Vooral op mij. Over het algemeen doe ik mijn best om me niks van hem aan te trekken.'

'Wij zijn anders dan anderen,' zegt Gabriel, alsof hij iets toegeeft. 'Maar dat wil niet zeggen dat we freaks zijn.'

'Dane is nogal goed met woorden,' voegt Allys eraan toe.

Ethan neemt een grote slok van zijn melk en zet het flesje met een klap neer. 'Dane is overal goed in.'

'Hij heeft vorige week aan Ethans auto zitten rommelen,' legt Gabriel uit. 'Niemand kan het bewijzen, maar als Dane in de buurt is, gebeuren er de gekste dingen.'

'Er ontbreekt iets aan hem. Letterlijk, bedoel ik,' zegt Allys.

Gabriel schudt zijn hoofd. 'Hij is anders dan wij.'

'Hij is anders dan iedereen,' zegt Ethan. 'Waarschijnlijk zit hij daarom bij ons op school. In dat opzicht heeft hij gelijk: we hebben allemaal onze reden waarom we op een kleine, alternatieve school zitten. Mijn theorie is dat Dane al van elke andere school binnen een straal van 1500 kilometer getrapt is.'

'Minstens,' bevestigt Gabriel.

Ik weet niet wat ik moet zeggen. Ze uiten allemaal hun frustraties over Dane, maar toch vond ik hem interessant. Bot, ja, dat wel, maar hij heeft iets intrigerends. Misschien omdat hij zo eerlijk is? Hij is de enige die de moeite heeft genomen me te vertellen dat ik raar loop. Waarom heeft Claire dat niet gezegd? En wat houdt 'raar' precies in?

Ik ben blij dat Allys ophoudt over Dane en over zichzelf begint. 'De reden waarom ik op deze school zit is een stuk minder vaag,' zegt ze. 'Ik zou nu niet meer naar een grote scholengemeenschap kunnen, en door het vrije rooster hier kan ik makkelijker mijn therapie volgen. Anders zou ik steeds lessen missen. Dat is een van de redenen waarom ik hier zit.' Ze pakt haar boterham en begint weer te eten. 'Bovendien vind ik het vakkenpakket interessanter. Vooral na dit...' Ze wijst naar haar armen en benen. 'Ik ben nu heel erg geïnteresseerd in bio-ethiek, en Rae geeft me de ruimte om me daarin te verdiepen. Wat is jouw reden, Jenna?'

'Ik heb deze school niet uitgekozen, dat heeft mijn moeder gedaan. Ik ben ziek geweest en...' Ik weet niet hoe ik de zin moet afmaken. Ik heb nog altijd veel moeite met het woord *ongeluk*. Heeft Moeder me gedrild om het te verzwijgen? Of is er een andere reden? Maar ik wil ook niet liegen.

'Ongeluk,' zeg ik dan, veel te hard. 'Ik heb een *ongeluk* gehad. Daar moet ik nog van herstellen.'

Ze staren me allemaal aan. Mijn woorden zijn er haperend uitgekomen. *Zo gaat-ie lekker, Jenna.*

'Je hoeft ons niet te vertellen...'

'En het ergste is dat ik niets meer weet. Ik herinner me mijn ouders niet, mijn vrienden, ik weet niet meer waar ik van hield en waar ik een hekel aan had. Ik weet niet eens meer aan welke kant ik de scheiding in mijn haar droeg – of misschien zat die in het midden? En moet je dit zien.' Ik wijs naar mijn benen. 'Ik herinner me blijkbaar ook niet hoe je moet lópen!'

'Het geeft niet...'

'Het is één blinde vlek. Mijn leven, mijn ouders, mijn vrienden. Ik weet niet eens of ik er nog wel hoor te *zijn*. Ik kan me niets herinneren van de dingen die belangrijk zijn,' maak ik mijn verhaal ademloos en wanhopig af. Het voelt alsof ik een zonde heb opgebiecht en behoefte heb aan vergiffenis. Hun vergiffenis. Drie vrienden. Zijn ze wel vrienden van me?

Op dat moment zijn Ethans ogen vriendelijker, donkerder en bruiner dan ik hierna nog ooit zal meemaken. Ik wacht tot hij me vergeeft dat ik me de moeder niet herinner die me op de wereld heeft gezet, de oma die mijn leven heeft gered, de vrienden die samen met me hebben gespijbeld – ik wacht tot hij me bevrijdt van een verstikkende angst die ik niet kan benoemen.

'Jenna,' zegt hij. Zijn stem is zacht als een mussenvleugeltje; ik kan bijna het gefladder op mijn wang voelen. 'Wat gij aldaar beweert, is een streling voor het oor... en puur gelul.' Hij buigt zich naar me toe en fluistert: *Milde regen maakt het gras vele nuances groener. Zo worden onze vooruitzichten helderder...*'

Hij kijkt me verwachtingsvol aan. Ik buig me nog dichter naar hem toe.

Hij kijkt naar mijn mond als ik de woorden eruit laat rollen, net zo zacht als die van hem: *'...onder invloed van betere gedachten. We zouden gezegend zijn als we altijd in het heden leefden, en ons voordeel deden met elk toeval dat ons overkwam...'*

Ethan drinkt de rest van zijn melk op. 'Twee punten.'

'Drie,' zeg ik.

Hij trekt zijn wenkbrauwen op.

'Jij kent *Walden* veel beter dan je laat blijken,' zeg ik.

En je bent helemaal geen eikel, denk ik bij mezelf.

%A%

Puzzelstukjes

Bestaat het hele leven daar niet uit?
Scherven. Flarden. Momenten.
Ben ik minder omdat ik er minder heb,
of hebben die paar stukjes die ik wel heb meer betekenis?
Ben ik net zo vol als anderen? Vol genoeg?
Puzzelstukjes.
Allys die zegt: 'Ik mag jou wel.' Gabriel die stukjes brood uitspuugt
en mij daarmee de vrijheid geeft om ook te lachen.
En Ethan met zijn zachte bruine ogen,
die me eraan herinnert hoeveel ik weet.
Puzzelstukjes.
Ik klamp me eraan vast alsof ze het leven zelf zijn.
Dat zijn ze ook bijna.

31

De fijne kneepjes

'Niet vergeten dat ik met Ethan meerijd,' roep ik naar de keuken. 'Je hoeft me dus niet te komen halen.'

Ik loop de gang door, draai me om en loop terug om naar mezelf te kijken in de grote spiegel. Ik til mijn voeten zorgvuldig op, maar het ziet er overdreven uit. Misschien ligt het aan mijn armen? Zwaaien die wel zoals het hoort? Ik loop weer naar het einde van de gang om het nog eens te proberen.

Claire roept terug, niet tegen mij maar tegen Lily, maar wel zo hard dat ik het ook kan horen: 'Hoor je dat, ma? Jenna rijdt met *Ethan* mee. Het klinkt alsof hij haar vriendje is.'

Ik glimlach. De afgelopen dagen was Moeder zo opgewekt, bijna overdreven blij dat het goed gegaan is op school. Misschien ziet ze dat ik mijn leven terugkrijg – en zij daarmee dat van haar.

Ik staar naar mijn spiegelbeeld. Ik denk dat het aan mijn knieën ligt. Ik loop langzaam en probeer ze soepel te bewegen. Beter. Ik ga naar de keuken. 'Hij is mijn vriendje niet, Moeder, maar ik werk met Ethan bij het missiehuis tot ik zelf vrijwilligerswerk heb gevonden.'

Moeder houdt haar hoofd schuin en rolt met haar ogen. 'Ja hoor, vrijwilligerswerk. Ik heb Ethan wel gezien toen hij je de afgelopen dagen kwam halen. Hij is...'

'Claire!' roept Lily. 'Ben je gek geworden? Moet je dit nou echt aanmoedigen? Een vriendje! Denk eens na!'

Ik kijk kwaad naar Lily. Eindelijk heb ik min of meer een fatsoenlijk gesprek met Moeder en dan moet zij er een eind aan maken. Waarom doet ze zo irritant? Zo bekrompen? Zo...

'Je bent een eikel, Lily!' zeg ik tegen haar.

Moeders mond valt open en ze lijkt niet meer te weten wat ze wilde zeggen.

Lily zwijgt even en leunt dan op het aanrecht.

Staat ze nou te láchen?

Ik ben bang dat ik die twee wel nooit zal begrijpen.

32

Jenna Fox – jaar 14

Omdat Lily me pas om tien uur naar het missiehuis zal brengen, vul ik de rest van de ochtend met de taak van het lopen. Ik had gehoopt het onder de knie te hebben voordat ik Ethan weer zou zien. Ik oefen voor de spiegel. Langzaam. Snel. Ik wiebel met mijn heupen, mijn handen en mijn kin. Ik schrijd, maar het klopt nog steeds niet. Doe ik te hard mijn best?

Ik besluit de disks te bekijken. Misschien kom ik iets te weten. Dat zegt Moeder steeds, dat het iets zou kunnen losmaken. Misschien maakt het iets los in mijn benen en in mijn armen, zodat ik weer kan lopen zoals alle anderen. Ik wil net zo zijn als andere mensen. Ik heb gezien hoe Dane naar me keek voordat hij me door het lokaal zag hobbelen. Ik vond het fijn, zoals hij naar me keek. Intens. Heel persoonlijk. Het was bijna alsof hij met zijn handen over mijn lichaam ging. Daardoor voel ik me anders. Vertrouwd. Misschien wel de oude Jenna.

'Play,' zeg ik, en de disk volgt mijn commando op.

Ik heb geluk: het lijkt wel alsof *Jenna Fox – jaar 14* helemaal draait om lopen en bewegen.

Net als alle disks begint jaar 14 met mijn verjaardag. Ik poseer bij een straatnaambord: Champs Elysées. Dan hol ik de straat door, op de Arc de Triomphe af. Parijs. Niet slecht voor een veertiende verjaardag. 'Schiet op, pap!' roep ik. Maar ik maak me niet druk. Jenna is er nu al zo aan gewend dat iedere stap wordt gefilmd dat ze zich lijkt te hebben overgegeven aan de Grote Aanbidding van Jenna Fox. Vader en Moeder doen niet aan opschieten. Ik ben veel te belangrijk. Waarom is deze Jenna Fox zo sterk, terwijl ik nog geen kilowatt kracht in mijn lijf voel?

Jenna houdt halt op het trottoir, een stipje in de verte. Ze draait met gestrekte armen een rondje, haar gezicht opgeheven naar de blauwe lucht met dikke witte wolken, en er lopen vreemde mensen voorbij. Ze gaat helemaal op in haar eigen, volmaakte, gelukkige wereldje. Haar bewegingen zijn soepel en zelfverzekerd. Haar armen en benen sierlijk en elegant. Zelfs haar vingers steken als een kalligrafie af tegen de hemel.

'Pauze.' Ik sta op en loop naar het midden van mijn kamer. Spreid mijn armen. Ik kijk naar mijn vingers. Ze zijn net zo slank en fijn als de vingers op de disk. Ik begin te draaien. Eerst langzaam en dan sneller. Ik probeer de veertienjarige Jenna te imiteren, maar mijn voeten kunnen het niet bijhouden. Ik zak door mijn enkels. Ik verlies mijn evenwicht en leun tegen mijn bureau aan. Er is niks 'losgekomen'. Ik ben nog steeds niet de lichtvoetige Jenna Fox van de disk.

Weer kijk ik naar mijn vingers, die een paar dagen geleden nog zo trilden toen ik bij meneer Bender aan de keukentafel zat. Ik zet ze tegen elkaar, topje voor topje, als een tent. Ze zien er allemaal volmaakt uit. Maar toch... er klopt iets niet. Er is iets mee, iets waarvoor ik nog geen woord heb. Een dof gevoel dat door me heen kronkelt. Voelt iedereen van mijn leeftijd dit? Of is het anders? Ben ik anders? Ik laat mijn vingers langzaam in elkaar glijden en kijk ernaar. Ik probeer ze in elkaar te vlechten alsof ik wanhopig zit te bidden, maar ook deze keer heb ik het gevoel dat de handen die ik in elkaar vouw niet de mijne zijn, alsof ik ze heb geleend van een twaalfvingerig monster. En toch: als ik ze tel, zijn het er tien. Tien fijne, volmaakte, mooie vingers.

33

De nieuwe Lily en Jenna

Lily rijdt. Ik tik op mijn knie. We zeggen geen van beiden iets. Zo nu en dan kijk ik naar haar. Zijdelings, als ik zeker weet dat ze het niet ziet. Ik kijk naar de rimpeltjes die uitwaaieren naast haar ogen, het eenvoudige knotje in haar haar, bij elkaar gehouden met een haastig geplaatste speld. Ze brengt me naar het missiehuis om Moeder een plezier te doen, dat weet ik inmiddels. Alles wat ze voor mij doet, doet ze eigenlijk voor Moeder. Er is niets wat ze niet voor Claire zou doen.

Volgens mij hebben ze nu ruzie. Om mij. Maar ik zie wel hoe Lily naar Claire kijkt, hoe ze haar soms bij de schouders pakt of zomaar even omhelst; ze hebben samen iets waar ik geen deel van uitmaak.

Volgens mij heeft Lily wel van me gehouden, maar het is duidelijk dat die tijd voorbij is. Ze tolereert me, meer niet. Om Claire een plezier te doen, denk ik. Soms is ze ontroerd om iets van vroeger, dan zie ik een barstje in haar pantser. Zoals laatst, toen ik dacht dat ik verdronk. Maar dan komt die starre houding weer terug, alsof ze zich tegen me moet beschermen. Denkt ze dat ik gevaarlijk ben? Dat ik haar iets zou aandoen?

Zou ik dat doen? Vanmorgen had ik het wel gewild, toen ze zei dat Claire me niet moest aanmoedigen. Ik geloof dat ik haar toen wel had willen slaan. Hard. Ik had het gekund. Maar ik deed het niet.

Vreemd genoeg wil ik dat ze me leuk vindt. Ik weet niet waarom. Misschien wil ik gewoon dat alles weer wordt zoals vroeger. Wil ik weer de oude Jenna zijn. De Jenna die ik zelf niet ken, maar van wie zij hield.

We rijden over achterafweggetjes. De heuvels zijn bruin, dor en koud. Maar onder de droogte komt de lente al tevoorschijn. Fel smaragdgroen gras dat afsteekt tegen het bruine struikgewas erboven. De winter is niet welkom in Californië. Het is pas begin februari en de lente dringt zich al op. Claire zegt dat ze het gematigde klimaat prettig vindt, dat ze nooit meer terug wil naar de ijskoude winters. Dat ik ook nooit terug zal gaan. Hoe weet ze dat? Misschien ga ik wél terug. Ik blijf niet eeuwig zeventien.

We komen langs een ingestort gebouw waarvan het puin wordt opgeslokt door onkruid en klimop. Na de aardbeving waren sommige delen van Californië blijkbaar de moeite waard om opnieuw opgebouwd te worden en andere niet. 'Hmm,' zegt Lily als we er voorbijrijden. Ze vergeet onze gezamenlijke stilte.

'Ben jij er bang voor?' vraag ik.

'Voor aardbevingen? Nee. Als mijn tijd gekomen is, dan ga ik toch wel.'

Is ze echt zo zelfverzekerd? En waar denkt ze eigenlijk heen te gaan? 'Waarnaartoe?' vraag ik; ik vind het leuk om haar een beetje uit te dagen.

Ze staart me aan. Langer dan verstandig is wanneer je tachtig kilometer per uur rijdt. 'Laat maar,' antwoordt ze dan, en ze richt haar blik weer op de weg. Ik kijk ook strak voor me uit. Ik weet heus wel wat ze met 'gaan' bedoelde, maar ik wilde het haar horen uitleggen.

Doodgaan.

Gaan.

Naar de hemel? Denkt zij naar de hemel te gaan? Is ze er echt van overtuigd dat ze op een plek terechtkomt die niet eens op de kaart staat? En hoe weet ze eigenlijk of ze het daar wel leuk zal vinden? Maar dat is typisch Lily: één groot vraagteken.

We zwijgen weer. Geen commentaar over ingestorte gebouwen of de vraag wie we zijn, waar we zijn, niets over de spanning tussen ons. De sfeer wordt weer geforceerd en pijnlijk, als vanouds. Zoals ik tegenwoordig met Lily omga.

We komen eerder bij het missiehuis aan dan ik had gedacht. Zodra we er zijn, verlang ik terug naar de gespannen stilte. Het slaat nergens op, maar misschien hoort dat bij mijn nieuwe wereld. Ik loop achter Lily aan langs dezelfde weg als de vorige keer – het zware houten hek door, over de begraafplaats en ten slotte door de kerk die uitkomt op de binnenplaats, waar ik met Ethan heb afgesproken. Als ze de deur naar de kerk opendoet, worden we tegengehouden door onverwacht gezang. Een koor van blozende jongens; ze verheffen hun stemmen wanneer een broeder met zijn handgebaren de muziek aan hun kelen lijkt te ontlokken. Lily slaat onmiddellijk een kruis en doet haar ogen dicht. Ik blijf ook staan wanneer ik hun galmende stemmen hoor. Het lijkt wel of er in mijn binnenste iets overhoop wordt gehaald. Iets wat pijn doet.

'Kom mee,' fluistert Lily. 'Ze zijn aan het repeteren.'

Als we de kerk door lopen, laat de broeder met een knikje merken dat hij ons heeft gezien, maar hij gaat door met zijn werk. Lily doet de deur aan de andere kant van de kerk open en we lopen de binnenplaats op.

'Ethan brengt je straks naar huis, dus als ik hier klaar ben met pastoor Rico, ga ik weer.' Ze draait zich om en loopt weg. Ik ben nog vervuld van het geluid van de heldere jongensstemmen. Dat wil ik niet loslaten. Ik wil Lily niet laten gaan. Ze loopt al weg. 'Ik heb je gehoord,' zeg ik. Ze blijft staan en draait zich om. 'Ik heb je horen huilen. Toen ik in coma lag. Ik hoorde je huilend met Jezus praten. Om mij. Dat wilde ik even zeggen. Dat mensen die in coma liggen je kunnen horen.' Ze verstevigt haar greep op de tas in haar handen en de frons tussen haar ogen wordt dieper. Ze kijkt me aan, maar zegt niets. 'Wist je dat ik je heb gehoord?' vraag ik.

Ze doet haar mond open, maar het lijkt wel of de woorden blijven steken in haar keel. 'Nee,' zegt ze na een hele tijd. 'Nee... dat wist ik niet.' Ze strijkt een lok haar van haar wang. 'Ik moet gaan,' zegt ze dan. 'Ik moet gaan.'

Ethan staat niet zoals afgesproken op de binnenplaats, maar na een mislukte zoektocht tref ik hem uiteindelijk aan in de *lavandaria*, de eeuwenoude wasruimte vlak bij de tuinen. Ik weet nog niet eens wat voor vrijwilligerswerk ik ga doen voor ons schoolproject. Rae was allang blij dat ik met Ethan wilde samenwerken tot ik zelf iets heb gevonden. We moeten acht uur per week aan dit project besteden.

'Ben je daar eindelijk?' zegt hij als ik aan kom lopen. Maar voordat hij die kille begroeting uit, zie ik iets op zijn gezicht. Een glimlach. Niet op zijn mond, maar rond zijn ogen. Ik leer verrassend snel. Hij heeft waarschijnlijk niet eens door dat ik het heb gezien.

'Ik heb vanmorgen een preek gekregen thuis, dankzij jou,' zeg ik tegen hem.

'Hoezo?'

'Blijkbaar betekent "eikel" meer dan alleen irritant.'

'Heb je iemand een eikel genoemd?'

'Ja, mijn oma.'

Hij trekt een gezicht. 'Wist je niet wat het betekent?'

'Ik zei toch dat ik een heleboel vergeten ben? Al weet ik natuurlijk niet of dat charmante woordje vroeger wel in mijn woordenschat voorkwam.'

Hij kreunt even en bekijkt me dan van top tot teen. 'Ik denk het wel.'

Zonder verder nog tijd te verspillen, legt hij me uit waarmee ik me de komende vier uur zal bezighouden. Zand. Ik moet lepeltje voor lepeltje zand verplaatsen. De lavendaria wordt gerestaureerd: het noordelijke deel wordt ontdaan van de dikke laag zand die is achtergebleven na een modderlawine van lang geleden. Dat zand moet heel voorzichtig verwijderd worden, om de oude stenen eronder niet te beschadigen. We werken zij aan zij, met een plat schepje en zo nu en dan met een heggenschaar, om de takken en plantenwortels door te knippen die door de deken van zand heen kruipen. Ik merk dat hij heel dicht bij me blijft, ook al is de strook zand die we moeten verwijderen heel breed.

'Waarom vond je je oma een eikel... eh, irritant?' vraagt hij.

Het is een opluchting dat hij als eerste de stilte verbreekt. 'Ze zei dat ik jou niet als vriendje...' *Godver, Jenna. Stom, stom, stom.*

'Ben ik jouw vriendje?'

'Nee, ik bedoel... mijn moeder vond...'

'Denkt je moeder dat we verkering hebben? Alleen omdat ik je naar huis breng?'

'Nee. Eh, ja. Ik bedoel... laat maar.' *Help.* Elk woord maakt het alleen maar erger. Ben ik altijd zo'n kluns geweest?

'Hmm,' zegt hij, en grinnikend schept hij weer een lading zand op. Zo werken we een paar minuten schouder aan schouder door, op handen en knieën, voorzichtig om niet te diep te graven. Dan leunt hij naar achteren, met één arm op zijn knie. 'Waarom wil je oma niet dat ik je vriendje ben, behalve omdat je foute woorden van me leert?'

Ik laat mijn schepje vallen. 'Je bent mijn vriendje niet! En het ligt niet aan jou, het ligt aan mij.'

'Mag ze jóú niet? Ik dacht dat oma's van hun kleinkinderen moesten houden. Dat dat wettelijk bepaald was of zoiets.'

Hij heeft gelijk. Het zou wettelijk verplicht moeten zijn. Of misschien gaat het bij andere mensen vanzelf. Nu ik het uit zijn mond hoor, is het extra pijnlijk. Het ligt toch voor de hand? Natuurlijk horen oma's van hun kleinkinderen te houden – en weer vraag ik me af of Lily een goede reden heeft om mij niet te mogen. Soms denk ik diep in mijn hart dat ze die inderdaad heeft. Dan moet ik aan Kara en Locke denken. Die gedachte doet pijn. Heeft dit iets met hen te maken? *Schiet op, Jenna.* Ik hoor hun stemmen alsof ze op dit moment in mijn oor fluisteren. Ik heb geen goed antwoord voor Ethan. Het voelt alsof ik moet huilen, maar er komen geen tranen. Ik krijg zelfs geen brok in mijn keel. Ik probeer te doen alsof ons gesprek helemaal niet belangrijk is. 'Ik kan het niet uitleggen. Ik ben nou eenmaal een speciaal geval, denk ik.'

Ethan kijkt me aan alsof hij ergens diep over nadenkt. Zijn bruine ogen maken dat alles in mijn binnenste van zijn plaats komt. Na een hele tijd veegt hij wat zand van zijn vingers en zegt dan: 'Neuh, Jenna, jij bent helemaal geen speciaal geval.'

Onmiddellijk zwelt alles vanbinnen op en het wordt me bijna te veel. Ik kan niets anders doen dan blijven staan en terugstaren, en al zou ik me heel erg opgelaten moeten voelen – *ik vóél me ook opgelaten* – ik kan mijn blik niet afwenden. Hij is de eerste die zich verroert. Hij gaat weer op zijn knieën zitten en ik laat me naast hem zakken, schouder aan schouder, en we knippen, ruimen en scheppen zand weg, beetje bij beetje.

De zon is warm op mijn rug. Af en toe meen ik dat de wind het galmende gezang uit de kerk helemaal tot in de tuin meevoert, maar Ethan zegt dat dat onmogelijk is. Te ver weg. Toch weet ik zeker dat ik het hoor. Of misschien is het engelachtige geluid gewoon in mijn hoofd blijven hangen.

Ik besluit dat ik zand scheppen leuk vind. Ik hou van de geluiden in de tuin en de gedachteloze handelingen die almaar doorgaan. Het lijkt wel of mijn hoofd voor het eerst in weken rust krijgt, nu het niet hoeft te proberen herinneringen naar boven te halen. We werken urenlang door. Ethan gaat zo nu en dan staan om zijn rug te strekken en over zijn knieën te wrijven, maar ik word niet moe.

'Je werkt als een paard,' zegt hij.

'En jij werkt als een...' Ik zoek naar het juiste woord. '... níét als een paard.' Het juiste woord heb ik niet gevonden, maar de nadruk waarmee ik de zin uitspreek lijkt Ethan wel wat te doen. Hij wrijft nog een keer overdreven over zijn knie en komt dan weer naast me zitten. Ik moet lachen en ben blij dat mijn haar voor mijn gezicht hangt.

Er gaan lange perioden voorbij waarin we doorwerken zonder iets te zeggen. Ik luister naar de vogels in de tuin, naar het water dat ergens vlakbij uit een tuinslang sijpelt en vooral naar de stemmen in mijn hoofd. *Je hoort erbij, Jenna. Je bent geliefd, Jenna. Je bent normaal, Jenna. Je bent bijna helemaal gezond, Jenna.* En ik geloof het grootste deel ervan.

'Ken je hem?'

Ik volg Ethans blik. Boven aan de trap naar de tuin staat een kleine, gedrongen man naar ons te kijken. Als ik opkijk, neemt hij een foto en loopt weg.

'Nee,' antwoord ik. 'Ik heb hem nooit eerder gezien.' Of misschien wel, en kan ik het me niet herinneren?

'Het zal wel een toerist zijn,' zegt Ethan. 'Normaal gesproken bezoeken die alleen het missiehuis en komen ze niet helemaal hierheen. Of misschien heeft pastoor Rico iemand gestuurd om te kijken of wij ons werk goed doen.'

'Zou kunnen,' zeg ik.

%N%

Het komt los

Als ik bij Ethan in de auto stap, weet ik het weer.
Het komt door de grijsleren bekleding.
Ik had een auto.
Maar geen rijbewijs. Ik had geen rijbewijs.
Dat mocht ik niet halen van Vader en Moeder.
Waarom kreeg ik wel een auto
maar mocht ik er niet in rijden?
Ik weet nog dat ik door de straat scheurde.
Schiet op, Jenna.
En ik schoot op.
Kara en Locke waren erbij.

35

Honderd punten

Ik schuif over de voorbank van Ethans pick-up truck om plaats te maken voor Allys. We halen haar op van haar vrijwilligersproject en rijden samen terug naar school. De truck staat voor de kantoren en laboratoria van het Academisch Ziekenhuis van de Del Oro-universiteit. Allys komt hier niet alleen voor haar therapie, ze zit ook als vrijwilligster bij de taakgroep Ethiek. Daar verzamelt ze studiemateriaal en houdt de enorme stroom cheques en geldbedragen bij die nodig is voor de onderzoeksactiviteiten.

'Geestdodend werk,' noemde Ethan het toen hij het me beschreef. Wat kan er nou geestdodender zijn dan zand scheppen? En ik weet nog hoe Allys een paar dagen geleden over haar project vertelde. Het is belangrijk voor haar. Ze legt haar hele hart erin, en ik denk dat ze het werk ook zou doen als we het niet voor Rae deden. Allys is ervan overtuigd dat haar lot – en dat van miljoenen anderen – heel anders zou zijn geweest als er lang geleden strengere regels voor antibioticagebruik waren geweest, in de tijd dat men nog maar net het gevaar van overmatig gebruik had ontdekt. En nu wil ze er uit alle macht voor zorgen dat de wereld wordt behoed voor nieuwe medische onrechtvaardigheden.

Als hij het over Allys heeft, krijgt Ethans stem een klank die ik nooit eerder bij hem heb gehoord. Alsof haar onrecht ook hem aangaat. Voelt hij iets voor haar? Wat dan? Of heeft hij zelf ook last van dat onrecht? Eigenlijk weet ik niets over hem. Waarom zit hij op onze buurtschool? Ethan zei dat iedereen een speciale reden heeft om ernaartoe te gaan. Allys heeft verteld over haar lichamelijke beperkingen en Gabriel zei dat hij een angststoornis heeft, waardoor de beperkte omvang van de school voor hem prettiger is. Maar Ethan heeft zijn redenen nooit onthuld.

'Pak jij deze even aan?' Allys geeft me de krukken die haar nog altijd in evenwicht houden en komt naast me zitten. 'Over twee weken ben ik van die dingen af. Tenminste, dat zeggen ze hier.' Haar ogen stralen en de woorden komen als één enthousiaste stroom over haar lippen. 'Ze hebben een nieuwe technologie geüpload waarmee de prothesen mijn eigen evenwichtssysteem kunnen aanvoelen. Dat werkt via de signalen die mijn hersenen uitzenden of zoiets, daar leren de prothesen dan van. Ik moet zoveel mogelijk lopen om het proces te versnellen. Stel je voor, ik heb slimme benen.' Ze werpt Ethan een waarschuwende blik toe. 'Hou je mond, jij.'

'Ik?' vraagt Ethan poeslief.

'Ik dacht dat je hier was voor je vrijwilligerswerk,' zeg ik.

'Ook. Maar mijn therapie is in hetzelfde gebouw als de kantoren van Ethiek, dus kan ik het allemaal op één dag doen. Hoe ging het bij jullie?'

'Zand graven, bedoel je?'

'Ze werkt als een paard,' herhaalt Ethan zijn mening over mij.

'Ik vond het leuk,' zeg ik tegen Allys. 'Het is niet bepaald werk waar je je hersenen voor moet kraken – nou ja, Ethan misschien wel – maar pastoor Rico was ons erg dankbaar.'

Ethan slingert het stuur heen en weer als reactie op mijn opmerking en Allys lacht. 'Het missiehuis is een goede in-stelling. Ze hebben geen vast inkomen, dus zonder vrijwilligers zouden ze het niet redden. Er zit een hele geschiedenis achter, die erg belangrijk is. Het was mijn tweede keus, voor als de taakgroep Ethiek niet doorgegaan was.'

'Wie stuurt die taakgroep eigenlijk aan? Het ziekenhuis zelf?' vraag ik.

'Nee, joh! Het ziekenhuis kan hun bloed wel drinken, al zouden ze dat nooit toegeven. Heb je nooit gehoord van de FCWE?'

Ik speur dat waardeloze geheugen van me af. Ik heb het gevoel dat ik het zou moeten weten. Alsof het nét buiten mijn bereik ligt.

'Het is geen scheldwoord, hoor, mocht je dat soms denken,' zegt Ethan.

'Dat is de afkorting van Federale Commissie Wetenschap en Ethiek,' legt Allys uit. 'Die leidt de taakgroep. De commissie heeft ook zeggenschap over alle research en veel medische handelingen. Als een ziekenhuis of kliniek niet de benodigde formulieren invult en niet iedere procedure meldt, kan het gesloten worden. Hele ziekenhuizen die dicht moeten! Dat is al gebeurd. Niet vaak, maar toch vaak genoeg om iedere medische en onderzoeksinstelling in het land de stuipen op het lijf te jagen.'

'Maar waarom?'

'De commissie dient als een soort waakhond. Er moet controle van bovenaf zijn. Neem nu het klonen van mensen rond de eeuwwisseling. Dat was verboden, maar toch deden sommige laboratoria het, omdat ze geld nodig hadden. Of neem Bio Gel. Dat is waarschijnlijk op zich al reden genoeg geweest om de FCWE in te stellen.'

Allys praat door, maar ik hoor alleen nog een brabbelende echo. *Bio Gel*. Het werk van mijn vader. Ik hoor het Lily nog zeggen: '*Daar heeft hij een grote klapper mee gemaakt.*'

'Bio Gel?'

'Dat heeft alles veranderd. Het heeft vrijwel alles mogelijk gemaakt.'

'Hoezo dan?' vraag ik.

Allys fronst haar wenkbrauwen. 'Er zitten wel erg grote gaten in je geheugen, hè? In het ziekenhuis noemen ze het "blauwe blubber". De naam zegt het al, het is blauw.'

'Goed gevonden,' zegt Ethan cynisch.

'En,' zegt Allys met stemverheffing, 'er is op kunstmatige wijze zuurstof aan toegevoegd en het zit vol neurochips. Die zijn kleiner dan menselijke cellen en communiceren zo'n beetje op dezelfde manier met elkaar als neuronen, maar dan sneller. En ze kunnen van alles bijleren. Als je er basisinformatie in hebt geladen, wisselen ze gegevens uit met andere microchips en gaan ze zich specialiseren. Het écht spectaculaire is uiteraard dat ze op dezelfde manier communiceren met de menselijke cellen. Als je een mensenlever of een laboratoriumlever verpakt in Bio Gel, doen de neurochips de rest: zuurstof en voedingsstoffen aanleveren en communiceren met de centrale database. Tot de lever getransplanteerd kan worden in het lichaam van iemand die hem nodig heeft.'

'Dat is toch mooi?'

'Soms wel. Maar dat we het kúnnen, wil nog niet zeggen dat we het ook moeten doen. Die overweging maakt de FCWE.'

'Hoe doen ze dat?' Ik probeer te doen alsof het me maar matig interesseert.

'Onder andere met een puntensysteem,' antwoordt ze. 'Iedereen krijgt een maximum van honderd punten waarmee hij zijn hele leven moet doen. Neem nu mijn armen en benen. De geïmplanteerde digitale technologie die nodig is voor de prothesen kost maar weinig punten. Zestien voor alle vier samen. Maar een hart is alleen al vijfenvijftig punten. Als je daar nog longen en nieren bij optelt, zit je aan de vijfennegentig.'

'Dat klinkt wel erg simplistisch,' zeg ik.

'Misschien wel, maar het is ook eerlijk. Zo maakt het niet uit hoe rijk of belangrijk je bent. Iedereen zit in hetzelfde schuitje. En we kunnen de medische middelen en kosten in de hand houden.'

'En hersenen?' vraagt Ethan. 'Wat zijn die waard?'

'Een hersentransplantatie is min of meer illegaal. Het is alleen toegestaan om een biodigitale verbetering van maximaal negenenveertig procent aan te brengen bij hersenbeschadigingen, maar meer niet.'

'Wat een raar percentage,' zeg ik. 'Waarom maar negenenveertig procent?'

'Je moet toch ergens een grens trekken? Ziektekosten leggen een enorme druk op de maatschappij, om maar te zwijgen van de ethische kant van het verhaal. Door een grens te stellen aan de hoeveelheid die vervangen of verbeterd mag worden, verzekert de FCWE zich ervan dat iedereen een mens blijft en geen laboratoriumproduct wordt. We zouden toch niet willen dat de wereld wordt bevolkt door een stel halfmenselijke proefdieren? Ik denk dat dat de voornaamste reden is.'

'En heeft de FCWE altijd gelijk?' vraagt Ethan.

Allys recht haar rug. De woorden komen er snel en afgemeten uit. 'Ze proberen alleen onze menselijkheid te bewaken, Ethan. Hoe kan iemand daartegen zijn? Ze beschermen ons, en persoonlijk vind ik dat bewonderenswaardig. Bovendien weet ik toevallig dat er een heleboel intelligente, bekwame mensen in die commissie zitten.'

Ethan rijdt de parkeerplaats van onze school op. 'En ík weet toevallig dat mijn leven twee jaar geleden is verwoest door "intelligente, bekwame mensen".' Hij zet de auto op de handrem. 'Dus dan heb je daar weinig aan, hè?' Ons gesprek lijkt een onverwachte wending te nemen. Ethans stem klinkt stug, net als die keer dat ik in de supermarkt zei dat we kneuzen waren. Hij stapt uit en loopt weg zonder op ons te wachten.

Allys snuift verontwaardigd. 'Hij kan soms zo doordraven.' Ze rolt met haar ogen en pakt haar krukken. Ik kijk Ethan na en vraag me af of zijn leven net zo drastisch is veranderd als het mijne. Hij moet er nog overheen zien te komen, net als ik, al weet ik niet wáároverheen. Ik durf het niet te vragen, maar ik ben ervan overtuigd dat het de reden is dat hij op deze school zit.

Ik wacht buiten op Ethan, die me naar huis zou brengen. Ik heb net een bespreking gehad met Rae. Ethan was na mij aan de beurt, dus hij zal zo wel komen.

'Hoi.'

Dane duikt opeens achter me op. Ik heb hem sinds die eerste dag nauwelijks gesproken. Hij was vaak afwezig. Rae gaf daar geen reden voor, en Mitch kreunde alleen maar wanneer Allys ernaar vroeg.

'Hoe gaat het?' Zijn stem klinkt hartelijk en gretig en dat bevalt me wel, maar ik denk ook aan wat Ethan over hem heeft gezegd.

'Goed,' antwoord ik.

'Vind je je project leuk?'

'Ja.'

'Heb je een lift nodig?'

'Nee.'

Hij ademt diep uit, duidelijk geërgerd vanwege mijn korte antwoorden. Dan komt hij voor me staan en pakt mijn hand. 'Kom op. Heeft Ethan me afgekraakt? Je luistert toch niet naar hem, hè?'

Zijn hand is warm en houdt de mijne stevig vast. Als ik opkijk, zie ik tot mijn verbazing dat zijn ogen dezelfde kleur hebben als de lucht achter hem. 'Ik heb een probleem,' zegt hij dan. 'Dat geef ik toe. Ik ben te eerlijk. Zoals laatst, toen ik zei dat je raar loopt. Ik vind je er niet minder leuk door, ik bedoelde er niks vervelends mee. Je neemt het me toch niet kwalijk?'

'Nee.'

Zijn greep op mijn hand verslapt, maar hij laat hem niet los. 'We hebben allemaal onze eigen problemen, en dat van Ethan is dat hij niet tegen de waarheid kan. Hij vertélt niet eens de waarheid. Ik zou uit zijn buurt blijven als ik jou was, maar daar zul je zelf nog wel achter komen. Je bent slim genoeg.' Hij glimlacht, maar zijn lach is niet zo betoverend als die eerste keer dat ik hem zag, voor zijn huis. Ik verander met de dag. Nu zie ik dingen in gezichten die ik een paar dagen geleden nog niet zag. Dingen waarvan ik denk dat andere mensen ze niet kunnen zien. En wat ik in dat knappe gezicht van Dane zie, zit me dwars. Leegte. Het woord is heel sterk aanwezig in mijn hoofd, en toch vraag ik me af of het wel het juiste is.

'Vrienden?' vraagt hij.

Vrienden. Dat was de reden waarom ik naar school wilde. Misschien heeft Dane net als ik ooit vrienden gehad die er niet meer zijn en mist hij ze, zoals ik Kara en Locke mis.

'Vrienden,' herhaal ik, want ik weet dat het bot zou zijn om dat niet te doen. En omdat ik denk: wie weet. Wie weet.

'Zal ik een keer bij je langskomen? Ik woon tenslotte vlak bij jullie,' zegt hij als hij wegloopt.

'Dat is goed.'

'Bedankt voor de uitnodiging, buurvrouw,' roept hij over zijn schouder.

Heb ik hem uitgenodigd?

36

Inhoud

leeg bn. **1.** niets bevattend, zonder inhoud: *lege glazen/hersenen* **2.** onbezet: *een leeg plekje* **3.** zonder gehalte of geestelijke inhoud: *leeg vermaak*

Nu, een dag later, vraag ik me af wat 'vrienden' voor Dane betekent. Waarom is zijn stem zo anders dan zijn ogen? Weet ik eigenlijk wel iets? Maar één ding weet ik in ieder geval: het woord dat ik voelde toen ik hem aankeek, was het juiste woord.

37

Thuis

Het huis is leeg. Zaterdag is een lege dag, besluit ik. Geen getimmer. Geen verbouwing. Geen school. Niks. Moeder is vanmorgen vroeg vertrokken. Ze zei niet waar ze naartoe ging, maar ze vroeg me wel om in de buurt te blijven. Ik had het liefst nee gezegd, maar dat deed ik niet.

Lily is al de hele ochtend in haar kas. Ze heeft niet gevraagd of ik zin had om daarheen te komen. Dat zou ik toch niet willen. Ik heb twee keer vanuit mijn slaapkamerraam gekeken wat ze nou eigenlijk aan het doen is, maar de binnenkant van de kas wordt grotendeels aan het zicht onttrokken. Het kan me ook niet schelen wat ze daar doet.

Ik ga op bed liggen en kijk naar het plafond. Een Cotswold-plafond is tamelijk oninteressant. Net als ik.

Moeder en Lily weten het niet, maar Vader had gelijk. Mijn geheugen komt terug.

Dat gebeurt op een *curieuze* manier. Elke dag kronkelt er een golf losse puzzelstukjes door me heen, onbelangrijke dingen die vaag iets met elkaar te maken hebben. Ze klik-klik-klikken zich vast in mijn hoofd, als schakeltjes. En dan is het klaar. Weer een korte reeks herinneringen die een piepklein deeltje van mijn leven uitmaken. Ze komen uit het niets en de meeste zijn niet belangrijk.

Ik herinner me dat ik sokken ging kopen. Ik voelde aan de

sokken, betaalde ze, keek naar het bonnetje. Ieder detail van een sokkenaankoop vijf jaar geleden. Wie houdt zich daar nou mee bezig?

Maar er zijn ook andere dingen... en die komen ook uit het niets. Gisteravond op de gang werd ik duizelig van een heftige herinnering. Ik moest in het donker tegen de muur leunen en mijn ogen dichtdoen. De beelden waren glashelder: ik huilde. Riep om Moeder. Haar zag ik ook huilen. Eén traan, toen liep ze weg. Ik riep dat ze moest terugkomen. Ik wilde haar beetpakken, maar Vader hield me tegen. Nee, hij nam me in zijn armen. Ik was een peuter. Misschien anderhalf jaar oud.

Ik droeg een felrood jasje. Vader had een zwarte jas aan. Hij kuste me op mijn wang. Droogde mijn tranen. Verzekerde me dat ze terug zou komen. Ik spartelde in zijn armen. Hij hield me steviger vast. Dat herinner ik me als de dag van gisteren. Hoe kan ik me dát nou herinneren?

Als ik me een heel leven moet herinneren in zulke kleine stukjes, heb ik dan niet nog een heel leven nodig om alles terug te halen? Of komt het op een dag allemaal samen, om in mijn hoofd tot een uitbarsting te komen?

Ik kijk weer uit het raam. Lily is nergens te zien. De vloeren kraken onder mijn voeten. Ik loop naar de andere kamers op mijn verdieping. Die zijn nog steeds leeg. Zal Claire er ooit iets mee doen? Maar wat dan? Ben ik de enige die ze kan vullen? Ik ga naar beneden. De kamers beneden heb ik nog nooit echt verkend. Laatst ben ik naar Claires badkamer gehold, toen ik die snee in mijn knie had, maar los daarvan ben ik nooit verder gekomen dan de gang. Het dringt nu pas tot me door hoe vreemd het is dat ik hier al die tijd een soort logee ben geweest, dat ik alleen in mijn eigen kamer en de gezamenlijke vertrekken kwam en ik nooit de vrijheid heb gevoeld om de rest van het huis te bekijken. *Blijf in de buurt, Jenna.* Dat doe ik ook.

Ik ga de gang op en neem de eerste deur rechts. Lily's kamer, denk ik. Maar als ik de deur opendoe, blijkt het een kantoor te zijn. Van Claire, te oordelen naar de blauwdrukken, stofstaaltjes en designboeken die er liggen. Het is een rommel. Niet wat ik van Claire zou verwachten.

Ik neem de volgende deur rechts. Duw de klink naar beneden. Ik schrik van het gepiep van de scharnieren. Moeder heeft het hang-en-sluitwerk en de sleutels nog niet vervangen. Misschien vindt ze dat dit bij een authentieke Cotswold-cottage hoort, maar het maakt ongemerkt rondsluipen er niet gemakkelijker op. Ik kom in een grote, eenvoudig ingerichte kamer terecht. Ja, dit is Lily's kamer. Een paar schoenen, netjes in een hoek. Het bureau staat vol met ingelijste foto's. Claire. Mijn opa en Lily. En een foto van een klein meisje dat een roze feestjurkje en zwarte lakschoentjes aanheeft. Een klein meisje dat Lily's hand vasthoudt. Het kleine meisje van wie Lily hield. Ik loop ernaartoe en leg de foto ondersteboven op het bureau. Kan me niks schelen als ze het merkt. Ze kan me er hooguit om haten. Ik voel me machtig en schop haar schoenen van hun plaats – en verbaas me erover dat zo'n kleine daad zo'n lekker gevoel geeft. Ik heb voor vandaag genoeg gezien van Lily's kamer.

De volgende deur, aan de linkerkant van de gang, is op slot. Ik ga naar Claires kamer. Het is een grote slaapkamer, met een aangrenzend zitgedeelte waarin twee enorme fauteuils en een boekenkast staan. Een boog in de tegenoverliggende wand komt uit in het kleedgedeelte, met kasten en een aparte badkamer. De kasten vormen een soort vreemde tunnel, net als in mijn kamer. Verschillende kasten voor verschillende doeleinden. Overdreven. In de achterwand van de grootste kast zit een deur die ergens in het midden van het huis uitkomt, dus het moet een vertrek zonder ramen zijn.

Ik leg mijn oor tegen de deur en hoor daarachter iets. Een zacht gezoem. Ik rammel aan de klink, maar de deur zit op slot.

Het matras. Matras. Matras. Ik loop naar Claires bed, sla een hoekje van de sprei om en steek mijn hand onder het matras. Ik trek mijn hand terug en probeer een andere hoek. Daar ligt hij. Een sleutel. Ik pak hem eronderuit en ga staan. Eindelijk herinner ik me een keer iets van Claire waar ik wat aan heb.

'Wat doe je daar?'

Ik steek mijn hand in mijn zak. 'Niks.'

'Zo ziet het er anders niet uit.'

Ik kijk naar de omgeslagen hoeken van de sprei. 'Ik was Claires bed aan het opmaken. Dat had ze nog niet gedaan en ik heb verder toch niks te doen.'

Lily kijkt me strak aan, alsof ze iets zoekt in mijn ogen. Ik wrijf met mijn vinger over de sleutel in mijn zak en ze kijkt me aan en zegt niks, alleen: 'Buiten staat iemand die jou zoekt.'

Op de stoep voor het huis tref ik Ethan aan. Hij staat ongemakkelijk te schuifelen en glimlacht dan. Het lijkt haast alsof hij pijn heeft. 'Hallo,' zegt hij.

'Hallo.' Ik kijk hem afwachtend aan en vraag me af wat de bedoeling is.

'O ja!' Hij steekt zijn hand in de zak van zijn spijkerbroek en zijn gespannen glimlach verdwijnt. 'Deze sleutels heb ik in mijn auto gevonden. Zijn die soms van jou?' Hij houdt een ring met twee sleutelpassen omhoog.

'Nee. Niet van mij.'

'O.' Hij verroert zich niet.

'Misschien van Allys,' zeg ik.

'Zou kunnen.'

Hij stopt ze weer in zijn zak en de pijnlijke glimlach keert terug. 'Dan zie ik je maandag wel, hè?'

'Die glimlach is ontzettend nep,' zeg ik. 'Je moet meer oefenen.'

Hij trekt zijn wenkbrauwen samen en maakt een snuivend geluid dat beledigd klinkt. 'En jij bent natuurlijk de glimlachexpert. Zijn er ook dingen waar je géén verstand van hebt?'

'Niet veel.' Ik glimlach. Breed en lang.

Hij schudt zijn hoofd en kijkt me schuin aan. 'Jij hebt gewonnen. Daar kan ik niet tegenop.'

Ik vraag of hij ons huis wil zien en hij zegt ja, hij heeft toch niks beters te doen. Niks beters te doen? Goh, die jongen is een en al charme. Hij lijkt geïnteresseerd in het nieuwe tuinpad dat de werklieden hebben gelegd, en in het afbreken en opnieuw opbouwen van onze schoorsteen. Als we achterom lopen, zie ik dat Lily weer in haar kas is. Ik voel aan de sleutel in mijn zak. Ik zou Ethan kunnen vragen te vertrekken. Dit is misschien wel mijn enige kans in lange tijd om alleen in huis te zijn. Maar ik wil niet dat hij weggaat. De sleutel of Ethan? Voorlopig kies ik voor Ethan.

We lopen naar de grote vijver, en hij bewondert hem. 'Er zijn niet veel mensen die een vijver in hun tuin hebben.'

Daar had ik nog niet bij stilgestaan. In Boston hadden we in ieder geval geen water in de achtertuin. Ethan en ik gaan tegenover elkaar op een platte kei aan de oever zitten, en voor het eerst zie ik hoe mooi de vijver is – ik bekijk hem door de ogen van Ethan. Langs de oever steken bosjes riet als spiesen omhoog. Aan de kant van meneer Bender zwemmen een paar meerkoeten tussen de lisdodden door; in het zicht en dan weer aan het zicht onttrokken. 'Ik hoor 's avonds kikkers,' zeg ik tegen Ethan. 'Zelfs in februari. Lily vindt dat vreemd.'

'Hier is dat niet zo vreemd,' zegt Ethan.

'Kom jij hiervandaan?'

Hij aarzelt en kijkt me aan alsof ik hem heb gevraagd een liter bloed te doneren in plaats van een eenvoudige vraag te beantwoorden. Zijn reactie is al net zo eigenaardig.

'Jazeker.'

Het zit 'm niet in het woord, maar in de manier waarop hij het uitspreekt. Langgerekt, met een knikje en een zucht. Dat herken ik. Ik ken het ergens van. Misschien heb ik het op Jenna's gezicht gezien of heb ik het aan haar stem gehoord op een van de disks. Een simpel woord dat meer zei dan de bedoeling was. *Afstandelijk. Genoeg. Stop. Wat wil je van me?* Jazeker. Dingen waarvan ik denk dat Moeder niet had gewild dat ik ze op die disks zou zien. Dingen waarvan ik denk dat zelfs de oude Jenna ze nooit heeft gezien.

'Je hebt moeite met "hier",' zeg ik.

'Daarom zit ik op onze school,' antwoordt hij. 'Veel mensen kennen me hier. Daar is het wat makkelijker.'

'Omdat je je kunt verstoppen?'

'Jij bent snel in conclusies trekken.'

'Nee, niet echt. Je zei dat iedereen een reden heeft om bij ons op school te komen. Ik wachtte op de jouwe.'

Hij leunt naar voren, met zijn armen op zijn knieën. 'Ik heb een jaar in een jeugdgevangenis gezeten. Iemand in elkaar geslagen. Toen ik vrijkwam, kon ik niet terug naar mijn oude scholengemeenschap. Vandaar.'

'Dat lijkt me niks voor jou.'

'Om iemand in elkaar te slaan tot hij meer dood dan levend is, bedoel je?' Hij kijkt met een troebele blik langs me heen. Ik hoor dat hij iets moet wegslikken. 'Zo zie je maar weer, je weet het nooit.'

Ik leun ook naar voren, met mijn armen op mijn knieën,

zodat we in spiegelbeeld zitten. *Je weet het nooit.* Ethan weet meer over zichzelf dan hij zou willen en ik weet minder dan ik zou moeten weten. Het is alsof zijn duistere verleden mijn blanco achtergrond naar een hoger plan zou moeten tillen. Zijn ogen zijn donker, vol, zo vol als de ogen van Dane leeg zijn. Ik kom overeind en ga op mijn knieën zitten. Zo dicht bij zijn gezicht dat ik me opgelaten zou moeten voelen, maar dat gebeurt niet.

'Moet je niet vragen waarom?' vraagt hij.

Ik dicht het gat tussen ons. Mijn lippen op de zijne, en ik vraag me af of de oude Jenna wist hoe je moest zoenen en of de nieuwe het zich herinnert, maar te oordelen naar het gevoel van zijn mond op de mijne is het antwoord op beide vragen ja. Na een tijdje trek ik me terug.

'Sorry,' zeg ik. 'Ik had het je moeten vragen.'

Hij trekt mijn gezicht weer naar zich toe en kust me nog een keer. Zijn handen voelen zacht op mijn wangen.

Onze zoenen worden heftiger, en alles wat curieus en raar en gek en verkeerd aan me is verdwijnt en ik denk niet langer aan mezelf maar alleen aan Ethan, want de warmte van Ethan, de geur van Ethan, de aanraking van Ethan draaien om wie ik nú ben – en pas wanneer hij me van zich af duwt omdat Lily in de verte roept dat ik naar binnen moet komen, wil ik zijn vraag beantwoorden.

'Ik weet al waarom. Omdat je soms geen keus hebt.'

%V%

Keus

Ik had het nodig, als zuurstof.
Maar niemand hoorde me.
Niemand luisterde.
Geen woorden. Geen geluid.
Geen stem.
Ik kon mezelf niet eens wegdromen.
Er werden keuzes gemaakt.
Geen van alle mijn keuze.
Eerst vroeg ik me af of dit de hel was.
Toen wist ik dat het zo was.

39

Boodschap

Ik smijt de keukenla met een klap dicht.

'Gooi niet zo met die la. De boodschap is toch wel duidelijk: je bent boos.'

Ik trek de la weer open en smijt hem nog een keer dicht. En dan nog vier keer. 'Nee! Nú is de boodschap misschien duidelijk!'

'Het ís tijd om je voedingsstoffen in te nemen.'

'Alsof je je daar ooit eerder druk om hebt gemaakt!' Ik pak de fles voedingsstoffen uit de koelkast en giet een afgemeten hoeveelheid in een glas. Als ik de fles terugzet, pak ik een pot mosterd. Ik knijp de helft ervan op de beige drab. Met een boze blik daag ik Lily uit om me tegen te houden en giet het geheel dan naar binnen. 'Zo! Op!' Ik zet het glas neer, met zo'n harde klap dat ik min of meer verwacht dat het kapot zal gaan.

'Dat had je niet moeten doen. Misschien... valt het niet goed.' Ze zucht alsof ze moe is, en dat maakt me nog kwader.

'Kun je je er niet gewoon buiten houden, zoals anders?'
'Het is niet goed, Jenna.'

'Wie zegt dat?'

'Het hele universum.'

'Volgens mij vond hij het anders heel fijn.'

'Nu misschien nog wel, ja.'

Ik wil nu huilen. Keihard snikken. Ik wil slaan. Ergens tegenaan slaan. Ik wil op haar borst beuken en zeggen: hou alsjeblieft van me. Ik wil die minuut terug, de minuut waarin ik Ethan zoende en alleen het hier en nu telde. Ik wil dat iemand antwoord geeft op de vraag: Waarom?

Waarom ik?

En plotseling voel ik me slap, alsof alle vragen in mijn hoofd met elkaar in botsing zijn gekomen, zodat ik niet kan nadenken. 'Nu' is het enige woord dat in me opkomt, en ik weet dat het onzin is, maar ik zeg het nog een keer. 'Nu.'

Lily rimpelt haar gezicht even, en ik zie haar handen verstarren. Die verstarring trekt helemaal door naar haar mond. Ze staat me aan te staren alsof ik niet slechts één woord heb gezegd, maar een hele toespraak heb gehouden. 'Het is beter zo,' zegt ze dan. 'Voor Ethan en voor jou.' Ze loopt weg. Ik hoor haar door de gang lopen, haar kamer in, en de deur dichtdoen. Ik vraag me af of ze de omgekeerde foto en haar omvergeschopte schoenen zal opmerken.

40

Mosterd en kussen

Het is pas halfeen en ik zit alweer op mijn kamer. Mijn binnenste huivert. Ik weet zeker dat het niet alleen komt door de halve pot mosterd die ik binnengekregen heb, of de gedachte aan Ethans zoenen.

Het kan me niet schelen of de mosterd goed valt of niet. Ik had het er wel voor over om Lily daar zo hulpeloos te zien staan. Ze wist dat ze me niet kon tegenhouden, en dat klikje van macht dat door me heen ging, viel in ieder geval wél goed.

Ik kijk om me heen in mijn onpersoonlijke kamer en mijn blik blijft rusten op mijn netbook. Ik zou eigenlijk nog een jaar Jenna moeten bekijken. Of meer te weten zien te komen over mijn buren, zoals meneer Bender doet. Ik heb het gevoel dat ik iets zou moeten doen. *Schiet op, Jenna.* Maar ik zit daar maar achter mijn bureau en leg mijn hoofd op het blad. Kon ik maar in slaap vallen en wakker worden als een nieuwe ik.

Maar de slaap komt niet. En er komt ook geen nieuwe ik. Ik staar naar die rare monstervingers en voel mijn onhandige voeten onder me over de vloer schuiven terwijl ik luister naar het kraken en tikken van het huis, naar het piepen en zuchten van de verbouwing.

41

Jenna Fox – jaar 16

Ik stop de laatste disk van Jenna's leven in het netbook. Wat valt er nog te ontdekken? Er zijn meer gaten dan opgevulde leegtes, maar ik heb de puzzelstukjes, de losse herinneringen die naar boven gekomen zijn, samengevoegd tot het beeld van een meisje, en een leven dat tot in het onredelijke is vastgelegd. Ik werd gekoesterd. Aanbeden. Gesmoord met hoop. Ik vulde de plaats van wel drie kinderen op. Ik danste me suf. Studeerde me suf. Speelde me suf. Trainde me suf. Ik deed er alles aan om aan hun hoge verwachtingen te voldoen.

Maar wat me van al die beelden, de verjaardagen, de lessen, de trainingen en de gewone gebeurtenissen die ze nooit hadden moeten filmen het sterkst is bijgebleven, zijn Jenna's ogen: knipperend, aarzelend, alsof ze vreselijk haar best deed. Dat herinner ik me het meest van de disks: die wanhoop om toch vooral niet van dat voetstuk te vallen. Dat zie ik in haar ogen, net zo duidelijk als de kleur. En nu, in een paar weken tijd, zie ik dingen in gezichten die ik voorheen niet zag. Ik zie Jenna glimlachen, schateren, kletsen... en vallen. Hoe kan het ook anders, als je volmaakt bent? Ik snak naar haar, alsof ze iemand anders is. Dat is ze ook. Ik ben niet langer de volmaakte Jenna Fox.

Zoals alle voorgaande disks begint deze met haar verjaardag, een overdadig feest ergens in Schotland. Vader, Moeder en ik dragen een kilt, en een heel legioen doedelzakspelers speelt *Happy Birthday*. De volgende beelden op de disk zijn van een schoolreisje op een schip, een schoener. Ik bekijk vluchtig de gezichten, op zoek naar Kara of Locke. Een paar mensen komen me bekend voor, bekenden van school die ik me kan herinneren, maar ik zie mijn vrienden niet, de gezichten uit mijn dromen. Waar zijn ze? Jenna's haar zwiept tegen haar wangen. Ze kijkt naar de camera en verstijft even, houdt geforceerd haar hoofd schuin en smeekt geluidloos om wat meer afstand. Maar de camera zoomt juist in. Ik kan haar bijna zien toegeven. Ze geeft zich gewonnen. En dan rent ze plotseling weg. Ze zigzagt door de menigte klasgenoten. Weg. En de camera wordt uitgeschakeld.

Een nieuwe scène. Jenna in een roze maillot, haar haar in een knotje met glitters.

'Maak eens een pirouette, Jenna,' roept Vader.

Claire komt de kamer binnen. 'Heb je alles? Schoenen? Kostuum?'

'Ja,' zegt Jenna.

'En die make-up,' gaat Claire verder, 'is die niet een beetje overdreven?'

Jenna's ogen zijn zwaar aangezet met eyeliner; donkere vegen die niet bij haar lichtroze maillot passen. 'Wat maakt dat nou uit?'

'Je balletjuf is er misschien niet blij mee.'

'Ze hoeft van mij niet blij te zijn. Ik heb toch gezegd dat dit mijn laatste uitvoering is.'

Claire glimlacht. 'Natuurlijk is dit niet je laatste uitvoering. Je danst veel te graag, Jenna.'

Jenna pakt Claire bij de schouders en kijkt op haar neer. 'Kijk nou eens goed naar me, mam! Ik ben nu al één meter drieënzeventig en ik ben nog niet uitgegroeid. Ik zal nooit prima ballerina worden.'

'Maar er zijn dansgezelschappen...'

Jenna werpt haar handen in de lucht. 'Word lekker zélf ballerina! Jij bent één meter zevenenzestig, de ideale lengte. Zet 'm op, Claire.' Ik zie het gezicht van Moeder veranderen. Pijn. Ik kan het bijna niet aanzien. Was dat de eerste keer dat ik haar Claire noemde?

'Dames,' zegt Vader. En dan wordt de camera uitgeschakeld. Dat was het dan. De laatste beelden van Jenna vóór haar coma. Een ruzietje, nauwelijks stemverheffing. Waarom zou Lily de indruk wekken dat dit de belangrijkste disk van allemaal is? Waar wilde ze me op wijzen? De laatste disk stelt niks voor. Een anticlimax. Waarom had ik er zoveel van verwacht? Misschien wilde ze me gewoon urenlange verveling besparen door te zeggen dat ik achteraan moest beginnen. Misschien was het haar manier om een keer een eikel te zijn; kijken of ik erin zou trappen. Ga door met je leven. Misschien is dat het gevoel dat ik nu steeds heb, dat gevoel dat ik iets moet doen. Doorgaan met mijn leven.

Ik heb Claire gekwetst. Dat weet ik. Ik weet nog dat ik probeerde duidelijk te maken hoezeer het me speet. In de tijd dat mijn hele wereld verstard was en ik niet langs mijn lippen kon komen. Wat speet me dan? Het ongeluk? De botte manier waarop ik haar had behandeld? Speet het me dat ik haar Claire had genoemd in plaats van mama? Misschien wil Lily daarom niet veel met me te maken hebben, vanwege alles wat ik Claire heb aangedaan.

Doorgaan met mijn leven.

Is dat het 'iets' wat ik moet doen?

42

Diep

Claire komt de voordeur binnen gelopen op het moment dat ik de laatste trede heb bereikt. Ze heeft haar armen vol stofstalen en catalogi.

'Kan ik je helpen... mam?'

Ze wordt meteen een ander mens. Eén simpel woord maakt haar gezicht vijf jaar jonger. Ik heb steeds gedacht dat de macht bij Claire lag, maar daarin vergiste ik me.

Het verrast me hoe mooi ze is, en ik schaam me ervoor dat ik haar dat gekoesterde woord zo lang heb onthouden. Ze laadt de spullen die ze in haar armen had over op tafel. 'Het lukt wel... Jenna.' Haar stem is zacht en mijn naam klinkt als een vraagteken.

Ik stap de laatste traptrede af. We staren elkaar aan, onze ogen op gelijke hoogte, alsof we tussen ons in heel zorgvuldig iets vasthouden. *Iets.* Ik voel me draaierig, alsof ik loop te strompelen. Voelt dat zo, doorgaan met je leven? Ik deins achteruit. Ik kan dit niet. *Iets* klopt er niet. Maar ik ben het haar verschuldigd. Ik weet dat ik haar dit verschuldigd ben. Mijn handen trillen. Alles flitst voor mijn ogen. Ik probeer mezelf in evenwicht te houden en prop mijn handen in mijn zakken. *De sleutel.* Hij zit nog in mijn zak. Hij voelt warm aan mijn vingers.

'Vind je het goed als ik een eindje ga wandelen? Ik heb de hele dag binnen gezeten.'

Ze aarzelt en knikt dan. 'Maar niet te ver weg gaan,' zegt ze voordat ze naar de keuken loopt.

Als ze uit het zicht verdwenen is, doe ik de voordeur open en weer dicht, goed hoorbaar, zodat ze zal denken dat ik weg ben. Ik concentreer me op mijn voetstappen en sluip zo zacht als ik kan de gang door naar haar kamer. Ik moet de sleutel terugleggen voordat ze hem mist.

Als ik een hoek van de sprei optil, word ik tegengehouden door een gedachte. *Schiet op, Jenna.*

Misschien heb ik nog wel tijd.

Als ik opschiet.

Ik ren naar de kast en luister of er geen geluiden te horen zijn op de gang.

Niks.

Ik pak de sleutel uit mijn zak. Het slot kraakt als ik hem erin steek, en ik hoor de tuimelaar draaien. Heel langzaam doe ik de deur open, vurig hopend dat de scharnieren niet zullen piepen. Het vertrek is koud en donker, slechts heel vaag verlicht door een groenig schijnsel. Ik tast naar een lichtknopje, maar kan het niet vinden. Al snel zijn mijn ogen gewend aan het schemerdonker, en dan zie ik waar het gebrom vandaan komt. Computers. Drie stuks. Ze staan op een smalle tafel in de krappe, donkere kamer. Ze hebben een rare vorm, een vierkant blok van zo'n vijftien bij vijftien centimeter, veel groter dan een gewone computer, en ze zijn alle drie aangesloten op een eigen accu. Waarom werken ze niet gewoon op stroom? Als ik dichterbij kom, zie ik op de middelste een wit etiketje.

Jenna Angeline Fox.

Ik wrijf met mijn hand over het etiket en absorbeer mijn naam met mijn huid. Jenna *Angeline* Fox. Ik had er lang geleden al naar moeten vragen. Ik voel me er compleet door. Een begin, een einde én een midden. Waarom is het onbekende toch altijd zo eng? *Angeline.* Even sluit ik mijn ogen in het donker en ik fluister die naam. Ik voel mijn voeten op de grond, mijn plek op deze wereld. Ik hoor hier thuis. Ik verdien het om hier te zijn. Hoe kan zo'n tweede naam daarvoor zorgen? Vormen de bijzonderheden van ons leven degene die we zijn, of zit het 'm in het kénnen van die bijzonderheden?

Ik doe mijn ogen open en bekijk de computer aandachtig. Wat zou erop staan? Huiswerk van school? Brieven aan vriendinnen? Ik voel opeens een stoot energie door me heen trekken. Verleden. *Mijn verleden.* Dat is natuurlijk te vinden in *mijn* kamer. Ik probeer de computer van de tafel te pakken, maar hij zit vast aan een metalen houder. Ik probeer hem los te wrikken. Eén bout schiet los, maar de rest blijft zitten. Ik ram met de muis van mijn hand tegen de houder en stort me er met mijn hele gewicht op, maar mijn hand schiet uit en ik snij me aan een scherp randje. Er trekt een vlammende pijn door mijn hand en ik deins achteruit, maar de pijn verdwijnt net zo snel als hij is gekomen. Ik druk mijn hand tegen mijn buik en durf er niet naar te kijken. Ik weet dat het een diepe snee moet zijn. Moeder maakte zich al zo druk om dat schrammetje op mijn knie, dus ik moet er niet aan denken hoe ze hierop zal reageren.

Er sijpelt een straaltje bloed tussen mijn vingers door. Die computer moet ik maar een andere keer gaan halen. Ik loop de kast uit, doe hem op slot en ga snel terug naar mijn kamer, waarbij ik zo zachtjes mogelijk de trap op sluip. Ik ga naar mijn badkamer en doe de deur achter me op slot.

Hoe erg kan het nou zijn? Het was maar een metalen randje. Ik hou mijn hand boven de wasbak om geen vlekken op de vloer te maken, maar gelukkig bloedt het al niet meer. Er loopt een jaap van wel acht centimeter van het vlezige gedeelte van mijn duim naar mijn pols. Het verbaast me dat het geen pijn meer doet. Moet ik gehecht worden? Ik trek het vel opzij om te kijken hoe diep de wond is.

Hij is diep.

Wat... Hoe...

O, jezus.

Ik kan niet... nadenken...

Diep.

43

Blauw

De trap wiebelt. Zwiept heen en weer.

Ik druk mijn gewonde hand tegen mijn buik. Met de andere hand klamp ik me vast aan de trapleuning.

Een klein veegje bloed op mijn T-shirt. Zo weinig. En het is amper rood. Is het eigenlijk wel rood?

Ik strompel de trap af, één gedeelte zelfs met drie treden tegelijk.

'Jenna?' Het komt uit de keuken.

Nog meer treden. En geen pijn. Mijn hand doet niet zeer.

De gang deint en de deuropening wiegt heen en weer. Moeder en Lily zitten omlijst door tegenlicht aan de keukentafel.

Ze onderbreken hun gesprek. Staren me aan. Moeder richt haar blik op mijn T-shirt. De bloedvlek. Ze wil opstaan, maar één woord van mij is genoeg om haar tegen te houden.

'Wanneer?'

'Jenna...'

'Wanneer had je het me willen vertellen?' schreeuw ik. Ik duw mijn hand in haar gezicht. 'Wat is dit?'

Moeder slaat haar hand voor haar kin, voor de helft van haar mond. 'Jenna, ik kan het je uit...'

Lily staat op. 'Ga even zitten,' zegt ze. Ze gaat achter haar eigen stoel staan en biedt me die aan.

Ik ga zitten omdat ik niet weet wat ik anders moet doen. Kijk op naar Claire. 'Wat is er met mijn hand?' Ik leg hem op tafel en hou met mijn vingers de diepe snee open. De huid rust op een dikke laag blauw. Blauwe gel. Daaronder de zilverwitte glinstering van synthetisch bot en bindweefsel. Plastic? Metaalcomposiet? Moeder wendt haar blik af.

'Wat is er gebeurd?' vraag ik. Mijn stem is een fluistering, maar vult de hele keuken.

'Het komt door het ongeluk,' zegt ze.

Het ongeluk. 'Was mijn hand eraf?'

Moeder steekt haar arm naar me uit. 'Jenna, lieverd.'

'Vertel op.'

'Hij was verbrand. Vreselijk verbrand.'

Ik kijk naar mijn andere hand, die naast de hand met de snee op tafel ligt. *Mijn andere volmaakte hand.* Ik kan ze niet in elkaar vouwen. Monsterhanden. Ik kijk Moeder aan. Ze ziet eruit alsof ze vanbinnen instort, alsof er een vreselijke druk op haar ligt. 'En... deze?' Ik steek de andere hand op.

Ze knikt.

O, god. Als ik omlaag kijk, verdwijnt alles buiten de cirkel van mijn schoot. Ik krijg het opeens ijskoud. Mijn huid, die nooit heeft aangevoeld zoals het hoort, voelt vreemd. Ik hoor Lily naar de andere kant van de tafel lopen. Het geschraap van stoelpoten. Een zucht als ze gaat zitten. Alles dreunt in mijn oren. Mijn handen trillen. Ik kijk ernaar. Kan ik ze wel *mijn* handen noemen?

Dan vraag ik aan Moeder: 'Is er verder nog iets?'

De tranen stromen. Haar gezicht staat wanhopig. 'Jenna, wat maakt het uit? Je bent nog altijd mijn dochter. Dat is het enige wat...'

Mijn onhandige voeten. Mijn benen.

O god, nee.

'Ga staan,' zeg ik. Ik sta zelf ook op. Moeder kijkt me niet-begrijpend aan. 'Ga staan!' gil ik. Ze gaat staan, op een paar centimeter afstand. We kijken elkaar in de ogen. We zijn precies even groot. 'Hoe lang ben jij, Moeder?' Ik fluister ieder woord afzonderlijk, als een reeks knopen in een touw waaraan ik me vastklamp.

'Jenna?' Ze snapt het niet. Ze weet niet wat ik heb gezien. Op de laatste disk die Lily me aanraadde te bekijken, de disk waarop ik mijn lengte zeg. De angst verkrampt haar gezicht. Ze geeft geen antwoord.

'Hoe lang ben je!' zeg ik dwingend.

'Eén meter zevenenzestig.'

Ik laat me hoofdschuddend terug in mijn stoel vallen. Vroeger was ik één meter drieënzeventig. Moeder mompelt, brabbelt, zegt iets wat voor mij niet meer dan achtergrondgeluid is. Na een hele tijd dwing ik mezelf om haar aan te kijken. 'Ik wil alles weten.'

'Hè?' Ze doet alsof ze de vraag niet begrijpt. Maar die begrijpt ze wel. Dat zie ik aan haar ogen: ze hoopt vurig dat dit allemaal vanzelf zal verdwijnen.

'Hoeveel is er nog van *mij* over?'

Haar lip trilt. Haar ogen lopen vol.

Lily komt tussenbeide. 'Tien procent. Tien procent van je hersenen. Dat is alles wat ze hebben kunnen behouden. Ze hadden je moeten laten sterven.'

Ik probeer te bevatten wat ze zegt. Ik zie haar mond bewegen. Tien procent. *Tien procent.*

En dan wordt Moeder opeens fel. Een leeuwin. Op een paar centimeter afstand van mijn gezicht. 'Maar dat is de belangrijkste tien procent. Hoor je me? De belangrijkste.'

44

Vastgepind

Ik lig in bed. Staar naar het plafond. Claire loopt te ijsberen. Gaat weg. Komt terug. Smeekt. Informeert. Ik luister, maar zeg niks terug. Lily komt ook binnen. Kijkt toe. Fluistert tegen Claire. Komt een stapje dichterbij. Vertrekt. En komt weer terug.

Ze weten niet wat ze met me aanmoeten. Vader is op weg naar huis, Claire heeft hem gebeld. Uren geleden. Het is nu midden in de nacht. Twee uur. Hij kan het allemaal uitleggen, zegt Claire. Als hij straks hier is. Hij zal het me duidelijk maken. En intussen komt ze op de rand van mijn bed zitten en probeert het zelf uit te leggen.

'Je was ernstig verbrand, Jenna. We hebben alles geprobeerd. Zelfs met alle tijdelijke transplantaties verloor je erg veel vocht. We wisten je een paar dagen stabiel te houden. Het was heel hoopvol. Maar toen kwamen de infecties, en we raakten je heel snel kwijt. De antibiotica sloegen niet aan. Er was geen tijd om uitgebreid beslissingen te nemen. Je vader trok me een kast in, Jenna. Een kast! Dáár moesten we de knoop doorhakken. Hij fluisterde me in wat de enige manier was om je te redden. We moesten kiezen: jou redden op de enige manier die we hadden, of je laten doodgaan. Alle ouders ter wereld zouden dezelfde keuze hebben gemaakt als wij.' Haar handen kneden de rand van mijn bed.

Ze gaat staan. IJsbeert door mijn kamer. Loopt weer naar mijn voeteneind.

'We hebben je laten overplaatsen. Meteen. Naar een privé-kliniek. Een eigen kamer. Alle behandelend artsen werden weggestuurd, behalve degenen die voor je vader werkten bij Fox BioSystems. De infectie verspreidde zich razendsnel door je lichaam. Je vader heeft je de nanobots ingespoten toen je nog in de ambulance lag op weg naar de nieuwe kliniek. Daar moesten de artsen onmiddellijk met de hersenscan beginnen.'

'Waaróm?'

Ze staat weer op. Haar gezicht staat alert. Behoedzaam. Voorzichtig. Ze wordt aangemoedigd door mijn vraag. Dat is niet de bedoeling.

'Je aderen sloegen dicht. We wisten niet hoe lang je hart het nog zou volhouden. De bloedsomloop is heel belangrijk voor een goede scan, die minstens zes minuten duurt. De belangrijkste organen begonnen al uit te vallen. Tegen de tijd dat ze je konden opereren, had je hart al twee keer stilgestaan. De Bio Gel stond klaar en ze hebben gered wat er nog te redden viel.'

Ze komt nog dichterbij. Bleek. Ze zakt aan mijn bed op haar knieën en pakt mijn hand waar de snee in zit. Klampt zich eraan vast alsof ze anders in het niets zal opgaan. 'De vlinder, Jenna, zo noemen ze dat. Het hart van de hersenen. Dat heb je nog.'

En de rest? Mijn herinneringen? Mijn verleden? Die zitten niet allemaal in de vlinder. Wat is de rest? Hoe kan het dat ik me zoveel herinner? Inmiddels bijna alles. Behalve het ongeluk.

Ik doe mijn ogen dicht. Ik wil dat Moeder weggaat. Ik wil niet over vlinders of harten praten. Ik wil niet eens antwoorden horen. Ik wil háár niet. Dan voel ik haar wang tegen mijn hand. Haar ademhaling. Haar behoeftigheid. Ze laat me langzaam los en loopt weg.

Ik doe mijn ogen weer open. Mijn kamer is donker. De stilte van het huis is een zware deken. Die pint me vast aan mijn bed.

%A%

Wit

Er is een moment geweest, tussen alle pijn, dat de angst
even afnam.
Een moment waarop ik werd omringd door wit.
Hoop.
Lily en iemand anders, en gesprenkeld water.
'Wijwater, Jenna.'
'Laat maar los, als dat moet.'
'Vergiffenis, Jenna.'
Maar ik kon niet loslaten.
Dat lag niet in mijn macht.
Ik tolde al rond, zweefde, viel.
Naar een verre plek waar ik niets van begreep.
Waar alle geluiden behalve mijn eigen stem verdwenen.
Alleen ik.
Al die tijd.
Ik wil niet meer alleen zijn.

46

Vader

Ik hoor gekraak. Mijn klok geeft 03.00 uur aan. Vader staat in de deuropening; het zachtgele licht uit de gang beschijnt zijn gezicht. Een stoppelschaduw op zijn wangen. Onge- kamd haar. Holle ogen. Hij ziet eruit alsof hij de hele weg van Boston hierheen is komen hollen.

'Mijn engeltje,' fluistert hij.

'Ik ben wakker,' zeg ik.

Hij komt binnen en gaat op de rand van mijn bed zitten. 'Het spijt me,' zegt hij. 'Het was niet de bedoeling dat je er op deze manier achter zou komen.'

'Ik heb kunsthanden,' zeg ik. 'En kunstbenen.'

Hij knikt.

Ik ga rechtop in bed zitten, tegen het hoofdeinde aan. Ik hou mijn handen voor me uit en staar ernaar. 'Ik was gek op mijn handen. Op mijn benen,' zeg ik, meer tegen mezelf dan tegen hem. 'Ik heb er nooit bij stilgestaan. Ze waren er ge- woon. En nu zie ik dat deze...' Ik draai ze om en kijk naar de handpalmen. 'Dat ze anders zijn. Ze zijn niet van mij, het zijn nepperds.' Ik wacht tot hij het ontkent, tot hij met een paar woorden de afgelopen twaalf uur ongedaan zal maken. Ik kijk naar zijn gezicht. Zelfs in de schaduwen van mijn slaapkamer kan ik zien hoe moe hij is. Ik zie de rode rand- jes om zijn ogen. 'Ze zijn vrijwel identiek aan de originele,' zegt hij. 'Dankzij de disks van je balletuitvoering hebben we je centimeter voor centimeter kunnen opmeten.'

'Leve de disks, hè?'

Hij hoort het sarcasme in mijn stem en doet even zijn ogen dicht. Ik voel een verlangen. Misschien wel het verlangen naar zijn pijn. Of die van Claire. Maar voornamelijk naar mijn eigen pijn. Mijn verlies. Ik kan me niet druk maken om dat van hen. Niet nu. Hoe ben ik zo ver gekomen? En hoe kom ik weer terug?

Hij pakt mijn hand en bestudeert de diepe snee.

'Het is niet eens echte huid, hè?' zeg ik.

'Jawel, de huid is echt. En deels zelfs van jou.'

'Hoe kan dat?'

'Het is laboratoriumhuid, gekweekt in het lab en genetisch aangepast, zodat hij wordt gevoed door de Bio Gel. Het heeft maanden geduurd voordat we alle huidtypen hadden die we zochten. Van jouzelf konden we maar een klein gedeelte gebruiken, vanwege de brandwonden en infecties. Maar we hebben wel wát gebruikt.' Zijn stem klinkt nu krachtiger, minder vermoeid. Als arts heeft hij meer zelfvertrouwen dan als mijn vader.

'Hoe bedoel je, aangepast?'

'We moesten ervoor zorgen dat de voedingsstoffen en zuurstof op een andere manier konden worden aangevoerd.'

'Het is dus geen mensenhuid.'

'Jawel, het is beslist mensenhuid. Planten en dieren worden al jaren genetisch aangepast, dat is niets nieuws. Neem nu tomaten. Die worden zo bewerkt dat ze ongediertebestendig zijn en langer vers blijven, maar het zijn evengoed nog altijd honderd procent tomaten.'

'Ik ben geen tomaat.'

Hij kijkt me doordringend aan. 'Nee, dat klopt. Je bent mijn dochter. Jenna, je moet weten dat ik alles zou doen om jouw leven te redden. Je bent mijn kind. En ik wil eerlijk tegen je zijn, dus nu even geen flauwekul meer. Laboratoriumhuid is niks nieuws, maar dan weet je nog niet alles. Ik zal je de rest vertellen.'

Dat heb ik altijd heel fijn gevonden aan Vader. Dat hij direct is. Claire en ik konden wekenlang ergens omheen draaien, maar Vader en ik niet. Misschien omdat hij minder vaak thuis was. Hij had geen tijd om te treuzelen. Maar nu wil ik er juist omheen draaien. Ik heb het gevoel dat ik hier eeuwig omheen zou kunnen draaien.

'Jenna,' zegt hij, en hij stoot me aan.

'Huid en botten is één ding,' zeg ik. 'Maar volgens Lily heb je maar tien procent van mijn hersenen kunnen behouden. Klopt dat?'

'Dat klopt.'

'Wat ben ik dan?'

Hij aarzelt niet. 'Jij bent Jenna Angeline Fox. Een meisje van zeventien dat een vreselijk ongeluk heeft gehad en bijna dood was geweest. Je bent gered zoals zoveel slachtoffers zijn gered: door de medische technologie. Je lichaam was niet meer te redden, dus hebben we een nieuw lijf in elkaar moeten zetten. Je skeletstructuur is nagemaakt. Je hebt de beenderstructuur van een normaal tienermeisje. De plekken waar je spieren zaten zijn aangevuld met speciale Bio Gel. De meeste bewegingen worden aangestuurd door digitale signalen in de beenderstructuur, en een deel ervan gebeurt via de traditionele methode van gewrichtsbanden. Je huid is vervangen. Je hersenen, de tien procent die we konden behouden, zijn aangevuld met Bio Gel. Maar tien procent is natuurlijk niet genoeg om volledig te kunnen functioneren, dus hebben we je complete brein gescand en de informatie geüpload en bewaard tot we de rest van de elementen op hun plaats...'

'Geüpload? Heb je mijn hersenen geüpload?'

'De informatie in je hersenen. Alles wat er ooit in opgeslagen heeft gezeten. Maar die informatie ís niet de geest,
Jenna. Daar zijn we nooit eerder in geslaagd. Wat we met
jou hebben bereikt, is baanbrekend. We hebben de code gekraakt. Iemands geest is energie die de hersenen voortbrengen. Denk maar aan een glazen bal die op je vingertopjes
balanceert. Als hij valt, valt hij in duizenden stukjes uiteen.
Alle scherfjes van die bal zijn er dan nog, maar hij zal nooit
meer voluit op je vingertoppen balanceren. Zo is het met
de hersenen ook. Er worden al jaren illegale hersenscans
gemaakt. Daarvoor injecteert men nanobots zo groot als
bloedcellen, soms zelfs zonder dat de betrokkene het weet,
want de overdracht is draadloos. Er worden stukjes informatie onttrokken. Maar de geest, de geest is niet over te
brengen. Dat is heel wat anders dan stukjes informatie. We
hebben ontdekt dat het net zoiets is als een glazen bol ronddraaien: je moet doorgaan, anders valt hij aan diggelen. Dus
uploaden we die stukjes informatie naar een omgeving waar
de energie kan blijven ronddraaien, om het zo te zeggen.'

'Waar hij kan blijven nadenken.'

Hij knikt.

Die omgeving was mijn hel. Het zwarte gat waar ik niets
van begreep. Mijn eindeloze leegte waar ik heb geleden, ge-
schreeuwd en gehuild, maar waar niemand me kwam helpen.

Daar ben ik terechtgekomen door toedoen van mijn eigen
vader.

Ik sla mijn handen voor mijn gezicht. De handen die niet
echt van mij zijn. Haperend adem ik in. Heb ik eigenlijk wel
longen, of is dit gewoon een handeling die ik me herinner?
Ik huiver van afkeer om alles wat ik ben of niet ben en ik wil
eraan ontsnappen, maar ik word weer vastgehouden. Waardoor? Door mezelf? Ik weet niet meer wie of wat ik ben.

Ik voel Vaders arm om me heen. Zijn stoppels schuren op mijn wang. Hij fluistert in mijn oor: 'Jenna. Jenna, het komt goed. Dat beloof ik je.' Nu is hij weer mijn vader en niet de arts. Het zelfvertrouwen is verdwenen, dat hoor ik aan zijn stem. Hij is er niet zo zeker van dat het goed zal komen. Ik duw hem weg. 'Ik moet het weten. Alles.'

'Je komt het ook te weten. Maar nu heeft zelfs die tien procent rust nodig. Laten we gaan slapen, allebei. Morgen praten we verder.'

Ik ben moe. Leeg. Ik knik en leun achterover in mijn hoofd-kussen.

Als hij bijna bij de deur is, roep ik hem terug. 'Is het waar?'

'Wat?'

'Bestaat er echt een belangrijkste kern van tien procent?'

'Ja,' zegt hij. 'Daar geloof ik echt in.'

47

De nieuwe Jenna – dag 1

Vader niet mijn huid aan elkaar. Ik voel even een steek.

'De wond is dieper dan ik gisteravond dacht,' zegt Vader. 'Hoe is het gebeurd?'

'Toen ik in de...' *Pas op, Jenna. Ze hebben die computer voor je verborgen gehouden.* 'Het is gebeurd tijdens een wandeling. Ik struikelde en kwam op een steen terecht.'

'Is dit veroorzaakt door een stéén?'

'Hij had een scherpe rand.'

'O.' Ik vraag me af of hij me wel gelooft, maar ja, ik weet zelf ook niet wat ik van zijn verhalen moet geloven. Dan staan we quitte, lijkt me. Hij smeert de dichtgeniete snee in met gel en wikkelt er een gaasje omheen. We zitten aan de keukentafel. Claire ook. Ze heeft nog dezelfde kleren aan als gisteren, die nu verkreukeld zijn. Haar anders zo keurige haar is ongekamd. Ze is moe, haar gezicht ziet er star uit, alsof ze geen fut heeft voor gezichtsuitdrukkingen. Toch kan ik zien dat het haar moeite kost om haar mond te houden en Vader het woord te laten doen. Hij houdt niets achter, en ik zie Claires gezicht vertrekken bij bepaalde gedeelten van zijn informatie.

'Als ik nog maar tien procent van mijn vroegere hersenen heb, wat is de rest dan?'

'Het klopt niet helemaal dat je je hersenen niet meer zou

hebben. Die heb je nog wel, alleen ontbreekt een deel van het materiaal waarin ze huisden. Dat is vervangen door Bio Gel.'

'Leg me dan uit wat Bio Gel is.' Ik stel de vragen op vlakke toon. Zonder emotie. Niet boos. Niet verdrietig. Zonder aanvaarding of vergiffenis. Die kan ik hun niet schenken.

'Bio Gel is een kunstmatig neuraal netwerk dat is gemaakt naar biologisch model. Het is een gecondenseerde gel die van zuurstof is voorzien, vol neurochips. Die laatste zijn zo klein als menselijke neuronen, en het mooie is dat ze communiceren en boodschappen doorgeven op dezelfde manier als menselijke neuronen: via chemische neurotransmitters. Een doorsnee mensenbrein, Jenna, bestaat uit honderd miljard neuronen. Jij hebt er *vijf* keer zoveel. Je zit tot op de laatste centimeter vol met Bio Gel.'

Ik heb het gevoel dat Vader vindt dat ik nu onder de indruk zou moeten zijn. Misschien zelfs dankbaar. Maar hoe zit het dan met mijn ontbrekende hart? Mijn lever? Ik hoef geen vijfhonderd miljard neurochips, ik wil ingewanden.

Hij gaat door met het beschrijven van zijn handwerk. 'We hebben alle informatie uit je hersenen geüpload naar een centraal veld rond het hersenweefsel dat we hebben kunnen behouden: de pons of de brug van Varol – die ook wel de vlinder wordt genoemd. Maar uiteindelijk wordt alle informatie uitgewisseld met het volledige netwerk.'

'Als het er inderdaad allemaal is, waarom heb ik dan zoveel moeite met herinneren?' Ik vertel hem niet dat ik herinneringen heb die ik niet hoor te hebben. Zoals aan mijn doop, toen ik pas twee weken oud was. Ik wil geloven dat Vader het allemaal onder controle heeft, maar dit soort herinneringen maakt me duidelijk dat hij misschien wel net zo weinig weet als ik. Hij heeft geknoeid met het onbekende. Wat voor deur heeft hij daarbij geopend? Zal hij zich alsnog bedenken en die deur weer willen sluiten?

'De gaten in jouw geheugen lijken op die van iemand die een beroerte heeft gehad en langzaam herstelt,' zegt hij. 'De hersenen moeten nieuwe wegen vinden om toegang te krijgen tot informatie en die op te slaan. Daar ben je nu mee bezig. De neurochips zijn wegen aan het bouwen.'

'Weet je zeker dat het er allemaal nog is?'

Moeder en vader wisselen een snelle blik. Denken ze soms dat ik blind ben?

'Tamelijk zeker,' zegt Vader dan.

Tamelijk. Alsof dat genoeg is.

Vader is klaar met mijn hand en ik ga staan. 'Als het dan allemaal zo baanbrekend en bijzonder is, waarom wonen we dan hier?' Ik weet het antwoord wel, maar ik wil hen tot het uiterste drijven – als een kind in de speeltuin dat iemand een duw tegen zijn schouder geeft. Een lekker gevoel. Ik beantwoord mijn eigen vraag voordat zij er hun draai aan kunnen geven. 'Ik ben illegaal, hè? Daarom wonen we nu hier. We houden ons schuil.'

Moeder staat op en komt om de tafel heen naar me toe gelopen. 'Jenna, de wet verandert voortdurend en...'

Vader komt ertussen. 'Jij hebt niets verkeerd gedaan. Wat *wij* hebben gedaan is verboden. Inderdaad, dat is een van de redenen waarom we hier wonen.'

Moeder wil me beetpakken, maar ik steek een hand op om haar tegen te houden. 'Eén van de redenen?' vraag ik.

Vader aarzelt. Wisselt weer een blik met Moeder. 'De Bio Gel heeft zijn beperkingen. We weten dat de houdbaarheid ervan – de oxygenatie – wordt beperkt door temperatuurschommelingen, en vooral door kou. Deze locatie hebben we uitgekozen omdat we hier het meest constante klimaat van het hele land hebben.'

Ik begin te lachen.

Houdbaarheid? Mijn god, ik heb een uiterste houdbaarheidsdatum!

'Het is niet ongebruikelijk...'

'Stop! Ik heb verdomme een uiterste houdbaarheidsdatum! Dat is wel degelijk ongebruikelijk!'

'Je mag het noemen zoals je wilt, maar welk levend wezen heeft nou geen beperkte levensduur? Die hebben we allemaal. Je rukt dit helemaal uit z'n...'

'Niet te geloven!' Ik loop rond en maai met mijn armen boven mijn hoofd, maar al snel walg ik ervan dat ik Claires nerveuze gebaren nadoe. Ik hou er meteen mee op en kijk naar Vader. 'Hoe lang gaat dat spul mee?'

'In deze omgeving een dikke tweehonderd jaar, denken we. Het probleem is dat er nog geen...'

'En als ik naar een koud klimaat zou gaan? Naar Boston?'

'Nogmaals: we hebben niet genoeg gegevens, maar dan zou het weleens beperkt kunnen blijven tot een paar jaar, misschien zelfs minder.'

Ik staar hen aan. Net nu ik dacht dat het niet erger kon, wordt het dus nog erger. Ik heb een levensverwachting van tussen de twee en tweehonderd jaar. Wat wordt de volgende schok? Ik schuifel achteruit naar de deur. 'Hoe konden jullie me dit aandoen?'

'We hebben gedaan wat iedere ouder zou doen. We hebben je leven gered.'

'Wát gered? Ik ben een freak! Jullie hebben een kunstmatige freak geüpload!'

Moeder komt naar me toe gelopen, en even haalt ze uit om me een klap in het gezicht te geven, maar ze houdt zich in en haar hand blijft in de lucht hangen. Ze laat hem doelbewust langs haar lichaam zakken. Zelfs in haar woede kan ze niet één cel van het gezicht van haar beminde Jenna schenden. Ze trilt helemaal. 'Waag het niet jezelf zo te noemen! En om zo over ons te oordelen! Je kunt het niet begrijpen zolang je niet in onze schoenen staat!' Ze draait zich met een ruk om en loopt de keuken uit.

Vader en ik staren elkaar aan. Haar vertrek laat een leegte achter; onze toch al wankele driehoek is uit balans.

'Ze heeft het erg moeilijk gehad, Jenna,' zegt hij na een hele tijd, zacht en met haperende stem. Stort hij ook in? Ze veranderen allebei voor mijn ogen in een wrak. Ik moet hier weg. *Wegwezen, Jenna. Wegwezen.* Ik doe de achterdeur naar de tuin open en loop al bijna naar buiten. *Alsof ik het niet moeilijk heb gehad.* Dan draai ik me weer om naar Vader.

'Ik ben illegaal. Hoe je de woorden ook verdraait... ik ben illegaal. Ik weet niet eens of ik wel een mens ben.'

Vader laat zich in een stoel vallen. Voorovergebogen klauwt hij met zijn vingers naar zijn gezicht en hoofdhuid. 'Nou, ík weet het wel. Je bent honderd procent mens.'

'Hoe weet je dat zo zeker?'

'Ik ben arts, Jenna. En wetenschapper.'

'Maakt dat je soms tot een autoriteit op ieder gebied? Hoe zit het met de ziel, Vader? Heb je daar ook aan gedacht toen je zo druk bezig was met het implanteren van al die neurochips? Heb je mijn ziel ook uit een oud lichaam gehaald? Waar heb je hem gelaten? Laat dat eens zien! Waar heb je mijn ziel gestopt, tussen al die baanbrekende technologie?'

Ik draai me om en loop weg voordat ik zijn antwoord kan horen. Als hij er al een had.

48

Lily

Ik ben altijd slim geweest. Heb altijd hoge cijfers gehaald. Maar ik was niet zo pienter als Kara en Locke. Die waren echt briljant. Ze bezaten meer dan alleen boekenwijsheid. Bij hen zou het nooit zo lang geduurd hebben voordat ze weer helemaal op de hoogte waren.

Ik ga op de grote platte kei zitten waar ik gisteren heb gezoend met Ethan. Gisteren, toen ik nog gewoon een meisje met een wankel geheugen was. Gisteren is nu een andere wereld.

Ik zou het liefst het bos in vluchten, uit het zicht, maar ik weet dat ze dan in paniek zullen raken. Misschien zelfs achter me aan zouden komen. Wat kan er allemaal gebeuren met hun dierbare Jenna? Ze zullen nu wel naar me staan te kijken. Door het raam. Vol vragen. Klaar om toe te snellen. Ze hebben vast hun vraagtekens bij iedere gedachte die ik zou kunnen hebben. Vragen zich af of ze het anders hadden kunnen doen. En wat ze nu moeten. Ik kan hun ogen bijna voelen in mijn rug. Maar als ik me met een ruk omdraai, zie ik alleen een koud, stil huis. Pallets vol bakstenen staan klaar voor het herstel van de veranda. De steigers voor de schilders zijn leeg. Alle werklui zijn vandaag weggestuurd. De verbouwing moet wachten.

Lily heb ik nog helemaal niet gezien. We hebben allemaal de ruimte nodig.

Ik staar naar de grote vijver. Het water is bijna roerloos. Aan de kant van meneer Bender wordt het wateroppervlak om de paar minuten doorkliefd door een meerkoet, die iets aan het opduiken is van de bodem. De golfjes halen onze oever niet eens. Ze verdwijnen ergens in het midden. Ik concentreer me op die korte afstand, waar iets overgaat in niets. Waar verdwijnt het precies? En waar gaat het naartoe?

Ik trek een van mijn sneakers uit en gooi hem zo ver ik kan. Hij komt met een plons midden in de vijver terecht en de meerkoet schiet geschrokken het riet in. De golfjes waaieren uit. Ze bereiken nu beide oevers, maar binnen een minuut is het water weer zo glad als een spiegel, de spetterende landing van de sneaker vergeten, en ik ben een schoen armer. Maar dat is wel de minste van mijn zorgen, en ik keer terug naar dat onderwerp: ik. Wat ik ook mag zijn.

Mijn eigen vraag aan Vader heeft me verrast. Er is geen weg terug. Waar kwam die vraag vandaan? Smeekten mijn kunstmatige neurochips me om in te zien wat er is achtergebleven? En is dat wel achtergebleven? Het snijdt in me als een scherpe grasspriet die mijn huid doorboort.

Mijn ziel.

Ik stroop de sok van mijn nu sneakerloze voet. Die ziet eruit als een echte voet. Met echte tenen. De prothesen van Allys zijn knap gemaakt, maar hierbij halen ze het duidelijk niet. Deze zijn echt. Ze kunnen voelen. Ik laat mijn voet over de steen glijden en voel het koude oppervlak, het oneffen graniet. Gruis.

Dan staar ik weer naar het spiegelgladde water. Ik krul mijn tenen om de steen. Luister naar mijn nagels die eroverheen krassen. Graven. Krassen. De vragen keren in kringetjes terug. *Bestaat de ziel wel? Heb ik de mijne nog?*

Ik kijk naar mijn hand die gekruld in mijn schoot ligt, met een pleister over het geheim. Het vreselijke gevoel dat ik kreeg toen ik het voor het eerst zag, keert terug. In één klap, met één blik, kan de werkelijkheid op z'n kop komen te staan. Datgene waarin we geloven kan zomaar verdwijnen. Dat je ergens in gelooft, wil nog niet zeggen dat het zo is.

Er waren zoveel dingen die Vader en Moeder voor me wensten. Maar dat ze het wensten, heeft er nog niet voor gezorgd dat ik werd zoals zij wilden. En nu willen ze alleen maar dat ik weer de oude ben. Maar dat ben ik niet. Hoe graag ze het ook willen, of hoe graag ik het zelf ook wil, ik kan er niet voor zorgen. Dat gevoel gefaald te hebben, dat ken ik. Ik heb altijd mijn best gedaan om aan hun verwachtingen te voldoen. Om de rol van drie kinderen te vervullen. Hun wonderkind. Ik. Nu ben ik een ander soort wonder. Een kunstmatige freak.

'Wat is de wereld veranderd, hè?'

Geschrokken draai ik me om. Het is Lily. Ik heb haar niet horen aankomen. Zonder antwoord te geven keer ik haar weer de rug toe.

'Mag ik even bij je komen zitten?'

Ik staar zwijgend over de vijver en trek mijn knieën tegen mijn borst. Ze gaat zitten, onuitgenodigd. Het is een grote kei. Toch is de afstand tussen ons klein. Ik voel iedere centimeter. Het gebrek aan woorden lijkt haar niet te deren. Mij verstikt het. Ze is hier niet zonder reden. Waar wacht ze op? Na een hele tijd doorbreekt ze de muur van stilte tussen ons. 'Ik zal eerlijk zijn: ik weet niet goed wat ik van je moet denken.'

Ik grijns. Het is bijna een lach. Lily houdt zich ook nooit in. Maar op de een of andere manier kan ik haar botheid beter verdragen dan alle leugens. 'Jij loopt ook niet op je tenen, hè?'

'Wat zou dat voor zin hebben?'

'Inderdaad,' zeg ik, nog altijd strak voor me uit starend.

'Waarom zou je rekening houden met de gevoelens van een freak?'

'Dat zijn jouw woorden, niet de mijne.'

'Sommige dingen hoeven niet hardop gezegd te worden.'

De waarheid hangt trillend als een valse noot tussen ons in.

'Anderhalf jaar geleden heb ik mijn kleindochter moeten loslaten,' zegt ze. 'Ik heb afscheid genomen. Gerouwd. En een paar uur later kwamen haar ouders me vertellen wat ze hadden gedaan.'

'En jij vond dat verkeerd?'

'Ik ben niet zoals je ouders. In mijn ogen zijn er ergere dingen dan doodgaan.'

Ik denk aan die donkere plek, daar waar ik nergens was. Gevangen, dood maar toch levend. Ik trek mijn knieën dichter naar me toe en draai me om naar Lily, om in de ogen te kijken die me al de hele tijd opnemen. 'Dus jij vindt dat Jenna eigenlijk dood is?'

Ze schudt haar hoofd. 'Nou doe je het weer: je legt me woorden in de mond. Daar ben je altijd goed in ge...' Ze zwijgt abrupt, alsof ze zichzelf erop betrapt iets toe te geven. 'Zoals ik al zei: ik wist niet wat ik van je moest denken. Dat is alles.'

'Wist je het niet of wéét je het niet?'

'Hè?'

'Dat is niet hetzelfde. Eerst zeg je dat je niet wéét wat je van me moet denken en dan zeg je dat je het niet wíst. Verleden tijd. Een groot verschil. Ben je er al uit welke van de twee het is?'

Ze lacht. 'Goh, zo klink je precies als Jenna. Je ziet eruit als Jenna. En je kunt zelfs net zo verdomd pietluttig en kieskeurig en irritant zijn als Jenna.'

Ze steekt haar hand uit om hem op mijn knie te leggen, maar dan trekt ze hem terug en laat hem in haar schoot zakken. 'Ik weet gewoon niet of je een perfecte kopie bent van mijn Jenna of...'

'... of het wonder waarvoor je hebt gebeden?'

Ze knikt, met opeengeklemde lippen. Mijn oma. Ik laat mijn hoofd op mijn opgetrokken knieën zakken en doe mijn ogen even dicht, ook al haat ik het donker.

'Ik weet het zelf ook niet,' zeg ik. Ik spreek de woorden uit in de donkere, overvolle hoeken en gaten van mijn gevouwen armen en benen. Ik weet niet eens of Lily me wel kan horen. Of iemand me kan horen. Het is een bekend gevoel waarnaar ik nooit had willen terugkeren.

49

Menselijk

mens de (m.) het hoogst ontwikkelde wezen, behorend tot
de klasse der zoogdieren; Wetenschappelijke naam: homo
sapiens.
menselijk bn. **1.** zoals eigen is aan de mens **2.** genietbaar in
de omgang, syn. *sociaal* **3.** niet wreed, syn. *zachtzinnig*

Hoe moet het nu verder?

Hoeveel uur kan iemand zich opsluiten in de badkamer en
naar haar eigen huid, haar en ogen kijken? Aan haar vingers
voelen? Aan haar tenen? Peinzen over de absurditeit van een
navel?

Hoeveel definities van 'mens' of 'menselijk' zijn er te vinden? En hoe weet je welke daarvan de juiste is?

Hoeveel uur kun je huiveren? Je armen om je lijf heen
slaan?

En je afvragen hoe het zit.

50

Details

We zitten in de huiskamer. Vader maakt de haard aan, ook al waarschuwt Moeder hem dat het bovenste deel van de schoorsteen nog altijd ontbreekt. Het kan hem niet schelen. Hij wil vuur. Als het huis afbrandt, bouwen we wel een nieuw. Ze gaat er niet tegenin.

Zijn tijd hier is beperkt. Ze zullen hem missen in Boston. Er zullen vragen gesteld worden, en de anderen kunnen hem niet te lang de hand boven het hoofd houden. Dus probeert hij me tijdens dit ongeplande bezoekje te vertellen wat ik moet weten. Tijdens het avondeten ben ik meer te weten gekomen over de spiksplinternieuwe Jenna. Ook al is Bio Gel zelfvoorzienend, ik heb wel degelijk een spijsverteringsgestel, al is het primitief. Voornamelijk om 'psychologische redenen'. Geen maag, maar wel een soort darmkanaal. Dat verklaart mijn vele toiletbezoekjes en mijn ongewone gezondheidstoestand. De voedingsstoffen die ik moet innemen zijn bedoeld voor mijn huid. Misschien dat ik ooit nog normaal zal kunnen eten. Als ik Vader vertel dat ik al een hap mosterd heb binnengekregen, fronst hij zijn voorhoofd, maar hij zegt niets. Het lijkt wel alsof hij er niet meer drama bij kan hebben. Al zou alles waar Moeder en hij zo hard hun best voor hebben gedaan erdoor kunnen ontsporen. Mosterd. Niet belangrijk.

Moeder heeft nog niet veel gezegd. Vóór het eten heeft ze haar excuses aangeboden voor de klap die ze me bijna had gegeven. Ze struikelde over haar woorden. Ik kan me niet herinneren dat ze me ooit heeft geslagen, maar zelfs de gedachte lijkt haar al van haar stuk te brengen. Nu zit ze in de leunstoel bij de haard met haar hoofd in haar nek te staren naar iets wat ik niet kan zien. Het verleden? Haalt ze ieder moment terug en vraagt ze zich af wat ze anders had moeten doen? Ze is altijd iemand geweest die veel praatte en de touwtjes in handen had, maar nu is ze het tegenovergestelde, alsof de stop eruit is getrokken. Vader vult de leegte die ze achterlaat door nieuw hout op het vuur te leggen en voor hen beiden cognac bij te schenken. Ik heb Moeder nog nooit iets sterkers dan cranberrysap zien drinken.

Vader gaat niet in op de vraag die ik hem voor de voeten heb geworpen voordat ik vanmiddag de keuken uit stormde. Misschien vindt hij het onbelangrijk, net als mosterd. Maar volgens mij vindt Lily het niet onbelangrijk. Ze is de hele avond opvallend afwezig. Ze heeft wel meegeholpen met koken, maar niet met Vader en Moeder meegegeten. Ze meldde zich af en ging naar haar kamer. 'Jullie hebben tijd voor elkaar nodig,' zei ze.

Terwijl hij het vuur oppookt vertelt Vader gedetailleerder dan ik wil horen hoe er stukjes van mijn huid zijn bewaard, om ze in het lab te kweken en te combineren met andere huidmonsters, tot de artsen genoeg hadden. Hij vertelt over de technologie van hersenscans en legt uit wat hij en zijn team van mijn ervaring hebben geleerd, en wat de implicaties zijn voor toekomstige patiënten met soortgelijke problemen. Zolang hij in de arts-wetenschapperstand staat is hij spraakzaam, de situatie meester. Zodra hij overgaat op de Vader-stand begint hij te stuntelen en lijkt hij in veel opzichten sprekend op Moeder. Hij wordt oud. Wie is de Jenna die zoveel macht over hem heeft? Ik voel me een slap, onzeker aftreksel van haar. Misschien een replica. Ik zoek naar een deel van haar kracht.

Vader gaat achterovergeleund in een stoel tegenover Moeder zitten en begint over de problemen van het uploaden. Ik zit stijfjes precies in het midden van de bank tussen hun stoelen in. De wetenschappelijke problemen interesseren me een stuk minder dan de menselijke kant van het verhaal. Wanneer kunnen we het dáárover hebben?

Ik onderbreek zijn doktersrelaas.

'Waarom hebben jullie het me niet verteld?' vraag ik. 'Zodra ik bijkwam? Had ik soms niet het recht om het te weten?'

Hij laat zijn hoofd hangen. Zijn borst zwelt op. Moeder sluit haar ogen. 'Misschien hadden we het je toen moeten vertellen, Jenna,' zegt Vader. Hij staat op en beent naar de haard. 'Ik zeg niet dat we het allemaal goed gedaan hebben. Verdomme, voor dit soort situaties bestaat geen handleiding. We worstelen ons erdoorheen. Voor ons is het ook de eerste keer, net als voor jou. We...'

Hij stopt met ijsberen en kijkt me aan. 'We doen ons best.' Ik hoor de hapering in zijn stem; die snijdt dwars door me heen.

Als Moeder haar ogen opendoet, keert de leeuwin terug. Ze vormen samen een soort estafetteploegje: als de een niet meer kan, neemt de ander het over. 'We weten dat je het zwaar hebt, Jenna. Wij hebben het ook zwaar. Op een dag zul je het begrijpen. Als je zelf een kind hebt, zul je eindelijk begrijpen wat een ouder ervoor overheeft om zijn kind te redden.'

'*Kijk nou eens naar me!* Hoe moet ik ooit kinderen krijgen?'

Ze wordt milder. 'We hebben een eierstok bewaard, lieverd. Die is opgeslagen bij een orgaanbank. En het is geen probleem om een draagmoeder...'

Mijn god! Overal zijn delen van mij terechtgekomen. Als het niet zo verschrikkelijk was, zou ik erom moeten lachen. Ik sta abrupt op en overweeg of ik moet weglopen of blijven. 'Kunnen we het alsjeblieft bij één onderwerp houden? Ik stelde een eenvoudige vraag,' zeg ik. 'Waarom hebben jullie het me niet verteld? Dat zijn jullie heus niet vergeten. Zoveel kan ik me nog wel herinneren: geen detail ontgaat jullie. Ik heb jarenlang tussen de details geleefd.' Ik kijk Claire strak aan. 'Ik zal er zelfs niet over zeuren dat ik nu zes centimeter kleiner ben; een mooie lengte om ballerina te worden. Ook dat is niet per ongeluk gegaan. Nee, laten we het bij mijn vorige vraag houden: waarom krijg ik het nu pas te horen?'

'Nu moet je eens goed naar me luisteren,' zegt ze. Haar stem en gezichtsuitdrukking zijn hard. 'Het laatste beetje lucht was uit ons lichaam geslagen. Dagenlang kregen we geen adem. Zo voelde het, letterlijk. En telkens wanneer ik naar je keek, durfde ik mijn blik niet af te wenden, alsof ik je alleen nog met mijn ogen aan deze wereld kon vastklinken. Het was ondraaglijk om naar je te kijken, maar ik kon mijn blik niet afwenden. Dus als we niet alles precies goed gedaan hebben, begrijp dan wel dat jij niet de enige bent die door een hel is gegaan.'

Gelijkspel. Het is waar, ik heb het aan hun gezichten gezien. Aan de jaren en rimpels die ik daaraan toegevoegd heb.

'Maar inderdaad, dat is niet de enige reden,' zegt ze dan. 'Het doet er nu niet meer toe, maar weken geleden konden we het je niet vertellen omdat we niet wisten hoe je er mentaal aan toe was. Of je wel goed kon oordelen. Een heleboel mensen hebben hun leven en hun carrière voor jou op het spel gezet, Jenna. We moesten voorzichtig zijn. Als jij het per ongeluk aan iemand had verteld, zou je niet alleen je eigen toekomst in gevaar hebben gebracht, maar ook die van hen.'

Wat kan ik daartegen inbrengen? Maar wat moet ik met die extra druk op mijn schouders om de ideale Jenna te zijn, nu niet langer alleen voor Vader en Moeder, maar ook voor mensen die ik niet eens ken? Wanneer houdt het op? Ik leun met mijn voorhoofd tegen de schouw en doe mijn ogen dicht.

'En even voor alle duidelijkheid,' zegt Vader. 'Je moeder en ik hebben er niets mee te maken dat je nu zes centimeter korter bent. Die beslissing is genomen op technische, rationele gronden, vanwege de beperkingen van het evenwicht. Nog een paar centimeter minder was het allerbeste geweest, maar zes was een perfect compromis.'

Perfect. Een kleinere, perfecte Jenna. Fantastisch.

Voorzichtig, Jenna.

Er is nog altijd meer. Het spreekt tegen me. Ergens vanbinnen proberen de stukjes in elkaar te grijpen, synaptische contacten te maken, een compleet verhaal te vormen. Vierhonderd miljard extra neurochips proberen samen iets te vormen wat de oude Jenna nooit kon vormen.

Moeder heeft haar hand op mijn schouder gelegd. 'Alsjeblieft, hou je mond hierover. Voor ons allemaal.'

Ik knik. Ik kan geen woord uitbrengen. Vader steekt zijn hand naar me uit. Hij trekt me naar zich toe en drukt me tegen zich aan, en ik laat me tegen zijn schouder zakken en zijn armen als een warme, stevige deken om me heen sluiten.

%N%

Volhouden

'Hoor je me, Jenna?
Ik ben hier. Ik laat je niet gaan.'
Ik droomde dat ik fietste. Mijn eerste echte fiets, zonder zijwieltjes.
Maar de stem van Vader klonk niet zoals het hoorde.
'Hou vol, Jenna. Doe het voor mij, mijn engeltje. Alsjeblieft.'
Gespannen. Wanhopig.
Ik doe mijn ogen open. Vader heeft zich afgewend.
Er is geen fiets, alleen een ziekenhuisbed.
Hij ziet niet dat ik naar hem kijk.
Hij laat zich tegen de muur zakken
en staart nietsziend naar de tegenoverliggende muur.
Ik wil opstaan en hem omhelzen.
Zoals hij mij altijd heeft omhelsd.
Ik wil mijn armen stevig om hem heen slaan
zodat hij weer blij wordt.
Maar tegen mijn wil vallen mijn ogen dicht
en sluiten hem buiten.

52

Toegang geweigerd

Jenna Angeline Fox.

Ik probeer van alles.

Dan: Ongeluk. Boston.

Op zoek naar puzzelstukjes, met behulp van de stukjes die ik al heb.

Het netbook knippert en ik wacht tot de duizenden bits veranderen in de paar bits die ik nodig heb. Geknipper. Rood.

Toegang geweigerd

Geweigerd

Geweigerd

Buitengesloten. Hoe vaak ik het ook probeer, het netbook geeft zich niet gewonnen. Waarom heeft meneer Bender wel toegang tot de gegevens en ik niet? Wat hebben ze met dit netbook gedaan?

De toetsen vliegen door de lucht. Mijn vingers graaien ernaar. Schiet op, Jenna.

De puzzelstukjes praten tegen me, maar het zijn er niet genoeg. Nog niet.

53

Een onzichtbare grens

'*Ik verliet de bossen om een even goede reden als ik erheen ging. Misschien had ik het gevoel dat ik meer levens te leven had en geen tijd meer overhad voor dat ene.*' Ethan stopt even met voorlezen uit *Walden* en kijkt naar mij.

Het is de tweede keer dat hij het lezen en de discussie onderbreekt om me aan te kijken, alsof hij me de ruimte wil bieden om ertussen te komen. Ik maak geen gebruik van de gelegenheid en hij leest verder. Ik twijfel nog steeds of ik wel moet doorgaan met school. Het voelt niet goed om hier te zijn. Ik hoor hier niet. Het is alsof ik een spelletje speel, alsof ik me uitgeef voor iets wat ik niet ben. Wat ben ik eigenlijk? Die vraag wil maar niet verdwijnen.

Maandagmorgen moest Vader terug naar Boston. Het was te riskant om de aandacht te trekken met zijn afwezigheid. Ze zeiden allebei dat ik ook de draad weer moest oppakken, terug moest keren naar mijn gewone bezigheden. Maar moet je voor gewone bezigheden niet een gewoon leven hebben?

Ik ben niet gewoon.

De groep wisselt gedachten uit. Allys geeft haar mening. Gabriel de zijne. Zelfs Dane doet een duit in het zakje.

'Jenna?' spoort Rae me aan.

Ik schud mijn hoofd en blijf zwijgen. Rae dringt niet aan. Zo is ze niet. Ze knikt naar Ethan dat hij door moet gaan.

Hij zit in kleermakerszit boven op het bureau en kijkt me veel te lang aan voordat hij zich eindelijk weer op de bladzijden van zijn openslagen boek richt.

'Al is hij er na twee jaar weer vertrokken, voor Thoreau is zijn tijd aan Walden Pond geslaagd, al was het alleen maar om de volgende reden: *Dit heb ik van mijn experiment op zijn minst geleerd: als iemand vol vertrouwen de richting van zijn dromen inslaat en ernaar streeft het leven te leven dat hij zich heeft voorgesteld, zal hij beter slagen dan hij op doorsnee-uren had verwacht.*' Ethan stopt weer om naar mij te kijken. Ik voel mijn onrust toenemen. Zijn ogen boren zich in me zonder zich af te wenden, afwachtend. '*Hij zal een paar dingen achter zich laten...*' zegt hij nog een keer. En hij wacht weer. De stilte is oorverdovend. Dane grijnst, maar iedereen houdt zijn mond.

Ik sla met een klap mijn boek dicht en kijk Ethan kwaad aan. '*Hij zal een paar dingen achter zich laten, een onzichtbare grens overschrijden; nieuwe, universele en vrijzinniger wetten zullen zich rond en in hem vestigen; of de oude wetten worden verruimd en ten gunste van hem op vrijzinniger wijze geïnterpreteerd, en hij zal leven met de privileges van een hoger soort wezens.*'

Ethan klapt drie keer in zijn handen. 'Bedankt voor het luisteren.'

Hij neemt zijn rol als docent/medewerker veel te serieus. 'Onder dwang,' antwoord ik.

'Je kunt heel goed dingen uit je hoofd leren, maar heb je ook een mening? Zijn er, behalve je terugtrekken zoals Thoreau deed, nog andere manieren om die onzichtbare grens te overschrijden?'

Waarom wil hij me uit mijn tent lokken? Ik voel dat ik mijn ogen tot spleetjes knijp en als ik begin te praten, klinkt mijn stem snauwerig. '*De natuur en het menselijk leven zijn*

even gevarieerd als onze verschillende karakters. Wie zal
zeggen wat het leven een ander aan vooruitzichten te bieden
heeft? Zou er een groter wonder kunnen gebeuren dan dat
we heel even door elkanders ogen zouden kijken?' Ethans
gezicht ontspant zich en zijn blik wordt milder; hij heeft niet
langer die innige concentratie van een dolle hond. Maar ik
ben niet mild. 'Hoewel ik dat natuurlijk ook weer uit mijn
hoofd heb geleerd, hè?' voeg ik eraan toe. 'Maar aangezien
jij waarschijnlijk tot een *hoger soort wezens* behoort, kun je
er misschien, als je heel hard je best doet, een mening uit
afleiden zonder dat je hoofd uit elkaar barst.'

Ik sta op om weg te lopen. Ik ben het zat. Om met Dane
te spreken: ik ben pleite. Maar nog terwijl ik opsta, vraag ik
me af: zie ik er nu normaal uit? Hoe ziet een normaal mens
eruit als hij kwaad is? Moet ik weer gaan zitten? Waar ben
ik mee bezig? Wat ben ik? *Daar gaan we weer.*

Opnieuw gelijkspel. Ik sta onhandig aan mijn tafeltje, met
trillende handen; mijn woede strijdt met mijn twijfels.

'Even pauze, Rae?' stelt Allys voor.

'Prima,' antwoordt Rae onmiddellijk. Ik vat het op als
toestemming en loop naar de deur. Voetstappen vlak achter
me. Gedrang in de smalle gang, langs Mitch die verbaasd
opkijkt, maar we zijn de deur al uit en de trap af voordat ze
kan reageren.

Ethan pakt van achteren mijn arm beet en draait me om.
'Wat is er met jou aan de hand?'

'Wat is er met jóú aan de hand? Je gaat zitten mokken als
ik je in de rede val en doet vervelend als ik je niet in de rede
val.'

'Ik snap er niks van. Zaterdag zoende je me nog alsof ik
de laatste jongen op aarde was en vandaag zeg je geen twee
woorden tegen me. Je begroet me niet eens. Wat heeft je
oma gezegd toen ik weg was? Blijf bij die eikel uit de buurt?'

Er is een heel leven verstreken sinds ik zaterdag met hem heb gezoend. Ik ben nu een ander mens. Misschien wel een ander *ding*. Hoe kan ik dat aan hem uitleggen? Ik kijk naar zijn gezicht. Ik zie alles. Iedere uitdrukking, rimpel, ieder trekje, elke twijfel. Ik zie meer dan ik zou moeten zien. Is dat het verschil tussen een neuron en een neurochip? Kan ik nu verder kijken dan de normale perceptie van mensen reikt? Weet Vader dat? Of is het misschien normaal? Had ik het altijd al kunnen zien, maar kijk ik nu pas goed?

Ik word gek van alle vragen. Zelfs nu nog wil hij me zoenen. Ook dat kan ik zien. Zou hij nog steeds met me willen zoenen als hij wist hoe het in elkaar zit? *Alles in de hele wereld zegt dat het niet deugt.* Dat is *mijn* onzichtbare grens. Ik kijk naar zijn hand die nog altijd mijn arm vasthoudt, en vraag me af of dit de laatste keer is dat we elkaar aanraken. Hoor ik eigenlijk wel aan zulke dingen te denken? *Ga weg.*

'Hoepel op, loser.' Dane duikt achter me op.

'Hou je erbuiten, Dane,' kaatst Ethan terug.

Dane geeft Ethan een duw tegen zijn schouder. 'Ga jij maar weer iemand in elkaar slaan, proleet.'

Ethan laat los. Zijn ogen zijn gloeiende speldenknopjes en hij houdt zijn hand voor zich omhoog alsof die in brand staat.

'Dane, het is anders dan jij...' Voordat ik mijn uitleg kan afmaken, is Ethan al vertrokken, op weg naar zijn auto op het parkeerterrein.

Dane zegt hoofdschuddend: 'Je weet toch wat hij heeft gedaan?'

Ik kijk Ethan na. *Het is beter zo.* Maar het voelt niet beter. 'Ja,' antwoord ik.

'Dat betwijfel ik, anders bleef je wel uit zijn buurt. Hij heeft bijna iemand vermoord. Die man was zo toegetakeld dat hij een maand in het ziekenhuis heeft gelegen.'

Ik denk aan Ethans hand op mijn arm en aan de angst in zijn ogen toen hij me losliet. 'Misschien had hij geen keus.'

'Hij heeft een jaar in de bak gezeten, dus ik neem aan dat ze dachten dat hij wél een keus had.'

Dat vraag ik me af.

'Kom, de pauze is voorbij.' Dane pakt mijn hand en trekt me mee het lokaal in.

Ethan komt niet terug, en de rest van de middag pieker ik over hem in plaats van over mijn eigen problemen. Hij zal toch nog wel naar school komen?

Dane probeert telkens mijn aandacht te trekken. Ik kijk naar hem, naar het lachje om zijn mond dat nooit zijn ogen bereikt. *Er ontbreekt iets aan hem.* Dat zei Allys. Maar wat? Hoe weet ze dat? Ziet ze dat er aan mij ook iets ontbreekt? Hij steekt zijn geflirt niet onder stoelen of banken. Voor hem is het meer een spelletje dan serieuze belangstelling voor mij. Hij wil een keer van Ethan winnen.

Ik denk erover om mijn hoofd drie keer te laten rond-tollen of mijn ogen eruit te wippen en ze op zijn bureau te leggen. Zou dat kunnen met mijn nieuwe freaklijf? De mo-gelijkheden zijn bijna grappig. Zou Dane zich dan nog zo arrogant gedragen?

Waarschijnlijk wel.

54

De kas

Dampende druppels rollen langs de binnenkant van de deur naar beneden. Mijn vingers raken het glas aan. Ik ben niet uitgenodigd, in geen enkel opzicht.

Ik wil de deur openduwen, maar waarom zou ik een ruimte betreden waar ik niet welkom ben?

Mijn vragen hebben zich vermenigvuldigd, een andere wending genomen, een nieuwe vorm gekregen. Zal de vraag of tien procent genoeg is – het belangrijkste deel – ooit beantwoord worden, of word ik knettergek voor het zover is?

Kan een ding zoals ik eigenlijk wel gek worden, of zal ik eenvoudigweg in rook opgaan?

Voorzichtig duw ik de deur open.

Lily is helemaal achter in de kas. Ze kijkt om en reageert verrast als ze me ziet, maar ze heeft haar handen vol aan een grote palm die ze in een pot aan het wrikken is, en haar aandacht gaat razendsnel terug naar die taak.

Ik zet nog twee passen. De kas is wel tien meter lang. Alle kapotte ramen zijn nu vervangen en op de helft van de aluminium tafels staan planten. Het verbaast me hoe warm de lucht hierbinnen is. Buiten schijnt de zon, maar de februarilucht is koel. Hier is het warm en vochtig, als een baarmoeder.

Lily hijst kreunend de pot met de palm op een tafel. Ze draait zich om en loopt naar een hoek van de kas, waar een stapel zakken ligt. Ze sleurt een ervan over de vloer. Dan blijft ze staan. 'Ik kan hier wel wat hulp bij gebruiken.'

Ik struikel over mijn voeten in een poging bij haar te zijn voordat ze haar taak al heeft afgemaakt. Ze laat een hoek van de grote zak los als ik mijn hand uitsteek. Samen slepen we de zak naar de tafel en hijsen hem naast de palm. Ze steekt er met een snoeischaar een paar gaten in en laat er aarde uit stromen. Deze Lily herinner ik me niet, de stille, geconcentreerde, boze Lily. Onvoorspelbare Lily. In de puzzelstukjes die ik me herinner van haar, mijn oma, was ze geen raadsel. Een glimlach was een glimlach en scherpe woorden waren een zeldzaamheid. Er ontbreken nog stukjes, maar wat daartussen ligt zijn herinneringen aan haar glimlach telkens wanneer ze me zag. Ik was niet alleen de poolster van Vader en Moeder, maar ook die van haar. En ik vraag me af of zij niet in veel opzichten mijn poolster was.

Mijn tienerjaren met haar zijn vaag, en ik hoor ze vaker dan dat ik ze zie. *Laat haar toch, Claire.* En daarna: *Haar haar zit prima zo.* En nog wat later: *Gun haar de ruimte.* Ik hoor hoe haar stem een druk van mijn schouders wegneemt waarvan ik niet eens wist dat die erop rustte.

Nu is ze cynisch en nors, en elke dag een groter raadsel. Ze gebruikt een klein schepje om aarde in de pot te scheppen en drukt de zijkanten aan met haar blote handen. Zwijgend sta ik naast haar en ik vraag me af of dit alles is wat we ooit zullen zijn: twee verwrongen versies van wie we eens waren. De wereld is niet veranderd, wij zijn veranderd. De vragen die me hierheen hebben gedreven zijn verloren gegaan in een lamgelegde synaps tussen ons. Maar ik kan niet weggaan. Ik heb iets nodig. Van haar. Het doet bijna pijn in mijn binnenste. Met een blik op de deur waardoor ik binnengekomen ben vraag ik me af of ik moet opstappen. Een paar passen...

'Je moeder had gelijk,' zegt ze, mijn gedachten onderbrekend.

'Hè?'

'Je kunt helemaal niet weten dat je ooit bijna verdronken bent. Je was toen pas negentien maanden. Je kon nog niet eens praten. Ze zeggen dat je pas herinneringen aanmaakt als je de woorden kent om ze te benoemen.'

'Maar ik herinner het me toch?'

'Ja.'

'Dus misschien weten *ze* wel minder dan ze denken.'

'Ja,' zegt Lily. Ze legt het schepje weg en neemt me aandachtig op. 'Dat zal dan wel.' We blijven elkaar ongemakkelijk aankijken.

'Hoe moet ik nu verder?' flap ik eruit. 'Weet jij dat?'

Ze wendt haar blik af. Het is alsof mijn vraag te snel kwam en te veel van haar vergt.

'Jij bent de enige aan wie ik het kan vragen,' voeg ik eraan toe. 'De enige die ik ken die me de waarheid zou vertellen.'

Ze schudt haar hoofd. 'Je brengt me in een lastige positie. Hoe kan ik kiezen tussen mijn dochter en...'

'Ik ga al. Ik had niet van je mogen verlangen...'

'Jenna.'

Die klank. Mijn naam. De klank van jaren geleden. *Jenna.*

Ze draait zich met een ruk om. 'Er zijn dingen die je moet weten,' zegt ze. 'Dingen waarvan ik heb gezworen ze je niet te vertellen. Claire is mijn dochter. Ze betekent verschrikkelijk veel voor me en ik zou bijna alles voor haar doen.' Ze aarzelt en haalt diep adem. 'Maar ik vind dat je het recht hebt om het te weten.'

Ik ben me er voor het eerst van bewust dat mijn hart niet vreselijk tekeergaat – alleen in mijn herinnering. Maar die herinnering is genoeg. Mijn gedachten kloppen razendsnel.

Ze schuift twee kratten onder de tafel vandaan en gaat op

een ervan zitten. De andere biedt ze mij aan. We zitten knie aan knie.

'Ik weet dat je je nog niet alles herinnert, maar misschien kan ik je geheugen op één punt opfrissen. Je was zestien. Je moeder en jij hadden ruzie. Ik kwam toevallig langs, maar ik probeerde me er niet mee te bemoeien. Je mocht van haar niet naar een feest. Ze had iets tegen degene die het gaf. De ruzie ging maar door, in kringetjes, tot ze er uiteindelijk genoeg van had en jou naar je kamer stuurde. Weet je nog wat je toen deed?'

Ik schud mijn hoofd.

'Je lachte haar uit. Je zei dat je geen kind van zeven meer was en stormde de voordeur uit.'

'Ik weet dat we weleens ruzie hadden, maar...'

'Daar gaat het niet om. *Je ging niet naar je kamer.*'

Ik kijk Lily aan. Ik snap niet waarom het belangrijk is om een oude ruzie op te rakelen. Goed, ik ging niet naar mijn kamer. Gedane zaken. Verleden tijd. Ik kan niks meer veranderen aan iets wat...

'Je ging niet naar je kamer, Jenna,' zegt ze nog een keer.

Oké, ik ging niet...

Naar je kamer, Jenna. En ik ging. Gehoorzaam... zelfs wanneer ik wanhopig de behoefte had om te weigeren. Naar je kamer, Jenna. En ik ging.

Claire geeft een bevel en ik volg het op.

Ik kijk Lily aan. Doe mijn mond open, maar ik kan geen woorden vormen.

'Het spijt me,' zegt ze. 'Maar ik heb er geen spijt van dat ik het je heb verteld. Het is gewoon niet goed.'

55

Op commando

Moeder zit achter het netbook als ik de keuken binnen kom. 'Goedemorgen,' zegt ze. 'Wat ben je vroeg op.'

Ik glimlach. Een glimlach die waarschijnlijk weinig verschilt van de lach van Dane: alleen mijn mond, de rest doet niet mee. 'Ik wil het telefoontje van Vader niet missen,' zeg ik opgewekt.

Lily laat haar krant zakken en kijkt me aan.

'Hij heeft nog niet gebeld,' zegt Moeder. Ze kijkt amper op van haar boek. 'Fijn dat je hem even wilt spreken. Je bent gisteren zo vroeg naar bed gegaan, ik maakte me een beetje zorgen.'

'Omdat ik naar mijn kamer ging? Dat is toch geen reden tot ongerustheid? Vind je wel, Lily?'

'Ik moest maar eens gaan.' Ze vouwt haar krant dicht, staat op en neemt haar koffie mee. 'Er zijn een paar dingen waarmee ik vandaag vroeg wil beginnen.'

'Ik kan je geen ongelijk geven,' zeg ik. 'Ik zou ook maken dat ik wegkwam als ik jou was.'

Moeder kijkt op.

Glimlachend hou ik mijn hoofd schuin. 'Ik bedoel, waarom zou je binnen blijven op zo'n stralende dag?'

Ze trekt vragend haar wenkbrauwen op. 'Is er iets?'

'Nee, hoor.' Weer een glimlach. 'Roep me maar als Vader

belt,' zeg ik en ik loop de keuken door. Lily is al buiten. Moeder richt zich weer op haar boek en ik trek een keukenkastje open en bekijk de inhoud. Witte borden, bekers, kommen. Ik pak er een stapel borden uit en zet ze op het kookeiland, precies in het zicht van het netbook. Dan stel ik ze een voor een op langs de rand van het werkblad, naast elkaar, als een reuzenparelsnoer.

Het netbook zoemt en moeder klikt vader in beeld. Ze wisselen een groet uit. Vader roept me.

'Goedemorgen, Vader,' antwoord ik.

Moeder heeft zich omgedraaid en ziet het bordensnoer. Ik leg mijn vinger op de rand van het eerste bord. Ze kijken allebei in verwarring toe, en voordat ze iets kunnen zeggen druk ik de rand naar beneden, waardoor het bord omkiepert en op de grond aan diggelen valt.

'Jenna!' zegt moeder. Ze springt op uit haar stoel.

'Wilde je soms iets zeggen, Moeder?' Ik druk mijn vinger op het volgende bord en laat ook dat op de grond kletteren. Vader bemoeit zich ermee: hij roept mijn naam, gevolgd door een hele reeks waarschuwingen, die worden overstemd door het derde kapotvallende bord.

'Zeg, wat mankeert jou? Hou daarmee op!' roept Moeder, en Vaders echo volgt.

'Is er niet nog iets ánders wat je moet zeggen?' vraag ik. Mijn vinger hangt boven het vierde bord.

Als ik op de rand druk, roept Moeder: 'Naar je kamer, Jenna!'

Ik doe mijn ogen dicht. Vecht ertegen. Ik concentreer me uit alle macht. Mijn hele lijf wil me de trap op jagen. Ik concentreer me op de woorden die ik sinds gisteren heb geoefend.

Doe het niet, Jenna.

Niet doen.

Niet naar je kamer gaan.

Ik open mijn ogen. Blijf staan. Ik ben niet gegaan. De inspanning heeft me uitgeput.

Met een woedende blik kijk ik hen aan. 'Hoe durven jullie! Hoe durven jullie een spelletje te spelen met mijn hersenen! Hoe durven jullie te doen alsof ik normaal ben! En mij te *programmeren*!'

Het woord veroorzaakt een schokgolf in de keuken. Even zegt niemand iets; ze zijn met stomheid geslagen door het hardop uitspreken van hun akelige geheim.

'Jenna, kom eens hier,' zegt Vader na een hele tijd. 'Kom eens dichter bij het scherm. Ga zitten, dan kunnen we even praten.'

'Heb ik iets te kiezen? Of hebben jullie dat ook ingeprogrammeerd? Ga zitten, Jenna. Zit! Zit!'

'Jenna, toe nou,' zegt Moeder smekend.

'Jenna Angeline Fox!' zegt Vader. 'Denk nou eens na. Zit je op dit moment op je kamer? Nee. Je bent dus duidelijk niet geprogrammeerd. Ik kan het je uitleggen!'

Ik blijf staan waar ik sta.

'Mijn engeltje,' voegt hij eraan toe.

Ik doe een stap naar voren en neem plaats op de keukenstoel die Moeder voor het netbook heeft neergezet. Doe ik dit uit vrije wil? Ik weet het niet.

'Het was een suggestie, Jenna. We hebben een sterke suggestie bij je aangebracht, een soort onderbewuste boodschap. Dat is wat anders dan programmeren. Het was voor je eigen bestwil. Je hebt een vreselijk trauma achter de rug, zoals zoveel patiënten met een ernstige hersenbeschadiging. Dergelijk letsel kan soms leiden tot afwijkend gedrag. Meestal worden zulke bijwerkingen onderdrukt met medicatie, maar bij jou werken medicijnen niet, Jenna. Jij hebt niet dezelfde bloedsomloop en niet hetzelfde zenuwstelsel als andere patiënten met een hersenbeschadiging. De oplossing was eenvoudig: we hebben iets aangebracht dat niet dwingender is dan een boodschap aan het onderbewustzijn, voor het geval je buiten je boekje zou gaan.'

Wie gaat er hier nou buiten zijn boekje?

'Ik wil niet onder jullie commando staan.'

'Dat sta je ook niet,' zegt Moeder vastberaden. 'Zoals je vader al zei: je zit nu toch hier en niet in je kamer? Maar totdat je goed kon bevatten wat er allemaal aan de hand was, moesten we een manier bedenken om je snel uit het zicht te laten verdwijnen. Voor je eigen bestwil, maar ook die van anderen. We hebben je al verteld dat een heleboel mensen hun leven en hun carrière voor je op het spel gezet hebben. Als hier onverwacht iemand zou opduiken, iemand die vragen zou stellen...'

'We hebben een heleboel voorzorgsmaatregelen genomen, Jenna,' valt Vader haar in de rede. 'Maar mocht iemand je nu zien, dan zou dat moeilijk uit te leggen zijn. Je uitgevallen organen, ernstige brandwonden en het verlies van je armen en benen staan allemaal geregistreerd in de ziekenhuisbestanden. Het is ons gelukt een groot deel van die bestanden aan te passen, en we doen ons best om ook de rest te veranderen. Maar wat sommige mensen met eigen ogen gezien hebben, kunnen we niet veranderen. Er is veel ziekenhuispersoneel dat het zich nog zal herinneren. Die mensen weten dat je ernstiger gewond was dan we binnen de grenzen van de FCWE hadden mogen herstellen. Voorlopig luidt het officiële verhaal dat je toestand stabiel is en dat je op een niet-prijsgegeven locatie wordt verzorgd door particuliere verplegers. Dat is op zich al een bron van vragen en geruchten, want niemand had verwacht dat je zou blijven leven, laat staan dat je zou herstellen. Als ze je nu zouden zien, zou dat zeker leiden tot een onderzoek – of nog erger. Laten we wel wezen: ik ben bekend, en door mijn achtergrond met de

Bio Gel en het vele nieuws rond Fox BioSystems zouden er meteen alarmbellen gaan rinkelen. De pers zou uit zijn dak gaan en de FCWE zou met ons een voorbeeld willen stellen. Alle betrokkenen zouden de gevangenis in gaan. En ik weet niet wat ze met...'

Hij maakt de zin niet af. Dat is niet nodig, ik kan de rest zelf wel bedenken. Wat ze met mij zouden doen. Wat moet je met zo'n geüpload geval als ik?

'Daarom wilden we niet dat je naar school ging, maar we wisten dat je uiteindelijk weer zou moeten terugkeren naar het normale leven, anders hadden onze inspanningen geen zin gehad. Maar niemand weet waar jij en je moeder nu zijn. Dit huis staat op naam van Lily en ik reis zo weinig mogelijk naar jullie toe, om te voorkomen dat ze me volgen. En zoals ik al zei: we hebben ziekenhuisbestanden aangepast, en als iemand je na verloop van tijd ziet en vragen gaat stellen, kunnen we eventuele ongerijmdheden toeschrijven aan een slecht geheugen. We hebben het dus ook gedaan om jou te beschermen, aangezien jij niet kon bevatten wat er allemaal precies gaande was: we moesten een manier bedenken om je uit potentieel gevaarlijke situaties weg te halen. Daarom hebben we die suggestie bij je aangebracht, dat leek ons noodzakelijk.'

'En hoe hebben jullie die suggestie dan wel aangebracht?' vraag ik. Ik voel alles in mijn binnenste verstrakken, als een schroef die wordt aangedraaid.

Vader wil antwoord geven, maar Moeder onderbreekt hem. 'Die is geüpload,' zegt ze mat.

Ik doe mijn ogen dicht. Dit of die donkere plek. Een moeilijke keuze. Ik open mijn ogen weer en kijk eerst naar Moeder en dan naar Vader. 'Zijn er nog meer dingen die jullie *noodzakelijk* achtten om te uploaden? Laten we nu maar meteen alles boven tafel halen.'

Er valt een lange stilte, waarin beiden wachten hoe ver de ander wil gaan. Mijn vraag is daarmee beantwoord. Er is dus nog meer.

Met een zucht leun ik achterover in de keukenstoel.

'Je had zoveel lessen gemist,' zegt Moeder. 'Je was doodziek. We wisten dat je het al zwaar genoeg zou krijgen, en eerlijk gezegd hadden we niet gedacht dat je ooit nog naar school zou kunnen.'

'We hadden het niet moeten doen, dat zien we nu in,' zegt Vader. 'Maar we hebben een aantal lesjaren van de middelbare school geüpload. Waarschijnlijk was het te veel – meer dan je op natuurlijke wijze opgenomen zou hebben – maar we kunnen het niet terugdraaien. Zo werkt dat niet. Dan zou je helemaal terug naar af moeten.'

Die kennis is niet van mezelf. Niets.

Mijn synapsen vonken als siervuurwerk.

Thoreau.

De Franse revolutie.

De aardbeving, de Tweede Depressie, actualiteiten. Woord voor woord.

De onzichtbare grens.

Tien procent.

Het belangrijkste deel.

Wie zal zeggen wat het leven een ander aan vooruitzichten te bieden heeft?

Het wezenlijke... diep doorleven en alle merg eruit zuigen. Alles.

Ik kijk naar mijn handen. Verstrengel ze en laat weer los. Perfect. Monster. Handen.

Duizend punten. Duizend illegale punten.

Verstrengeld. Weer los.

De vlinder.

Alle merg eruit zuigen.

Het merg van Jenna Fox.

Mijn voeten wiebelen. Tikken op de vloer. Zoals ze altijd hebben gedaan. Het nerveuze gebaar uit mijn jeugd; mijn geleende voeten weten het nog. Iets wat nog wél van mij is. Ik breng ze tot bedaren.

'Dan moet ik de sleutel van de kast hebben,' zeg ik uiteindelijk.

Moeder kijkt Vader aan. Ze is niet iemand die zich snel gewonnen geeft, maar als het om dit soort onzekerheden gaat, levert ze zich over aan hem. Ik kan wel zien dat dit haar wereld niet is. Ze baant zich op de tast een weg door een vreemde omgeving. Zelf wilde ze alleen maar haar dochter terug. Tegen iedere prijs. Maar die prijs was jongleren met allerlei onzekerheden en geheimen die sneller rondtollen dan ze kan bijhouden. Met grote ogen staart ze naar het netbook, naar Vader. Hij blijft kalm; zijn blik wordt maar een nanoseconde schichtig. Maar die nanoseconde lijkt voor mij een heel mensenleven. Ik zie het: hij is bang. Misschien wel doodsbang. Hij weegt zijn antwoord af. 'Wat bedoel je, Jenna?' vraagt hij kalm.

Waar zijn ze bang voor? Wat denken ze dat er...

Ik voel een 'ping' en krijg het ijskoud. *De sleutel!*

Hun ogen zijn strak op mij gericht, in afwachting van mijn antwoord. 'De sleutel van het deurtje achter in mijn kast,' zeg ik. De opluchting is van hun gezichten te lezen. 'Als ik ooit nog eens echt moet verdwijnen, lijkt me dat een logische plek.'

'Ja, natuurlijk,' zegt Vader.

'Ik moet hem ergens hebben,' zegt Moeder. 'Ik zal hem voor je zoeken.' Het klinkt te gretig. Ze rommelt in een la en haalt twee sleutels tevoorschijn. 'Ik denk dat het een van deze twee is.'

'Ik probeer ze allebei wel even.'

Ik haast me naar boven, naar mijn kast, en stop de sleutels die Moeder me heeft gegeven in mijn zak. Vlug, uit angst dat ze achter me aan zal komen, kieper ik mijn wasmand om en graai tussen de vieze kleren en vuil beddengoed, op zoek naar de broek die ik vier dagen geleden aanhad. Als ik hem heb gevonden, voel ik in de zak. De sleutel van Moeders kast zit er nog in. Dit is de sleutel die Vaders aarzeling veroorzaakt heeft – de sleutel waarvan hij dacht dat ik erop doelde.

Ik zoek in mijn kast naar een plek om hem te verstoppen. Ga op mijn knieën in een hoekje zitten, trek de vloerbedekking los, schuif de sleutel eronder en duw het tapijt zorgvuldig terug op de spijkertjesstrip. Dan leg ik mijn hand erop, alsof een deel van de waarheid erdoorheen zou kunnen sijpelen. Iets wat helemaal, honderd procent van mij is.

Mijn hand blijft even boven het tapijt hangen, maar de waarheid komt niet, alleen het besef dat dit misschien mijn manier is om het machtsevenwicht te herstellen.

56

Vertrouwen

Het is middernacht. Het huis is donker. Stil. Moeder en Lily liggen al een uur in bed.

Ik kijk naar *Jenna Fox – jaar 7*. Het is de enige disk die ik vaker heb bekeken. Dit is de vierde keer.

Jenna van zeven leidt Vader door het huis. Hij heeft een blinddoek om. Lily moet het gefilmd hebben. Tijdens de tocht vangt de camera een glimp op van Moeder die lachend meeloopt, en gegiechel van Jenna en holle protesten van Vader.

'Waar gaan we naartoe, Jenna?'

'Dat mag je niet vragen, papa!'

'Naar de maan?'

'Papa!'

'Naar de Mayflower?'

Ik zie hoe eraan Vader getrokken, geduwd en gedraaid wordt. Hij vertrouwt me en ik loop met hem van kamer naar kamer, en de gangen door. Trap op. Trap af. Hij overdrijft zijn bewegingen en tilt zijn voeten hoog op, alsof hij op een podium stapt. Maar hij vertrouwt me. Hij vertrouwt Jenna van zeven. Wat heb ik gedaan om daar verandering in te brengen?

Ze komen bij de keukendeur. Er staat een grote, scheve blauwe taart op de keukentafel. De kaarsjes zijn al half opgebrand na de lange blinddoektocht. Het glazuur druipt aan de ene kant als een trage gletsjer naar beneden en neemt een paar scheefgezakte kaarsjes mee op zijn tocht.

'Stop!' roept Jenna. 'Draaien. Nee papa, deze kant op. Bukken. Klaar?'

Ik doe hem de blinddoek af. 'Verrassing!' roepen Moeder en ik, en we klappen in onze handen. Vader steekt zijn handen in de lucht. Hij slaakt een kreet. Jenna straalt. Met haar ontbrekende voortand en stralende glimlach is ze net een engeltje.

'Wat mooi! Prachtig! De mooiste taart die ik ooit heb gezien.'

'Ze heeft hem zelf gebakken,' zegt Moeder trots. 'We hebben de hoeveelheid deeg verdubbeld, want ze wilde een grote maken.'

Vader en Moeder wisselen een blik uit over Jenna's op en neer wippende hoofd heen. Een warme blik, alleen van hen samen. Liefdevol, tevreden. Ongedwongen. Compleet. Alles wat ze willen en wat ze nodig hebben is in die keuken.

'Nou, groot is hij zeker! En *blauw*!' Vader gaat maar door met het prijzen en bewonderen van de taart. Zoals hij Jenna prijst en bewondert.

Ik kijk hoe ze met hun vork toetasten, zonder bordjes. Nog meer gelach. Kreetjes. Blikken.

Ik krijg het gevoel waarnaar ik al sinds mijn ontwaken verlang.

Ze vertrouwen me.

Ik ben gelukkig.

Het is genoeg.

Vader smeert een vinger vol blauw glazuur uit over Jenna's neus en ze gilt het uit.

En nu, in de stilte van mijn kamer, lach ik ook. Ik lach hardop.

Zoals iedere keer wanneer ik de disk bekijk.

57

Sanctuarium

Er is niemand in de kerk. Geen priesters. Zelfs geen mooie zangstemmetjes in de lucht. Het sanctuarium heeft de vorm van een kruis. Als ik daar sta, voel ik me een bedrieger, en ik verwacht dat ik ieder moment betrapt en weggestuurd kan worden.

Sanctuarium.

Een plek van vergiffenis.

Rijen kaarsen flakkeren aan weerskanten in de kerkgangen. Als ik een stap naar voren doe, schuifelen mijn voeten onhandig over de vloer en het geluid weergalmt door de stilte. Hier worden zielen, als zoiets al bestaat, gekoesterd en geheeld. Als er iets misgaat, kun je ze niet uploaden, zoals dat hele Boston-verhaal; er zijn geen reservezielen voor het geval er een verloren gaat. Een ziel krijg je maar één keer.

Ik loop de drie treden naar het altaar op en stap over het hekje dat het gewone volk scheidt van alles wat heilig is. Ik begeef me op verboden terrein, maar ik kan niet meer stoppen. Ik wacht tot ik wat voel. Een verandering. Maar wie weet hoe een ziel voelt?

Ik waag me nog een stapje dichterbij, in het heiligdom dat me omringt. Ik leun met mijn handen op het altaar en voel aan het kleed dat alleen voor priesterhanden is bedoeld. Geschiedenis. Aan de stof voel ik de geschiedenis. Met mijn ogen dicht ga ik op zoek naar mijn eigen geschiedenis, naar de tastbare gedeelten die me zullen vertellen of datgene wat ik nu ben wel genoeg is.

Een zware stem. 'Daar mag je niet komen.'

Mijn ogen vliegen open en ik draai me met een ruk om. En al even snel draai ik me terug en zet mijn handen weer op het altaar. Ik doe mijn best om het trillen tegen te gaan. Ik negeer de waarschuwing en de voetstappen die dichterbij komen.

'Dus je praat nog steeds niet tegen de eikel?'

O god, ik moet iets zeggen. 'Dat woord hoor je niet te gebruiken in de kerk,' antwoord ik.

Ik hoor hem dichterbij komen. Zijn voetstappen klinken gedempt als hij het trapje op loopt. 'Dan hebben we nu allebei een strafpunt. Jij loopt rond waar je niet mag komen en ik heb een verboden woord gebruikt.'

Ik hoor nog een paar voetstappen en zijn schoen dreunt tegen het hekje als hij eroverheen stapt. Ik draai me om en kijk hem aan. 'Jij hebt er twee.'

'Wat?'

'Ik heb één strafpunt, jij twee. Je bent ook over het hekje gestapt.'

Zijn gezicht vertrekt tot een onflatteuze mengeling van frustratie en woede. 'Wat ben jij toch...' Maar zijn boze blik en de scherpe klank verdwijnen even snel als ze zijn gekomen. Zijn milde bruine ogen staren in de mijne. Twee tellen. Drie misschien. 'Jenna,' zegt hij met een zucht. 'Ik wil geen ruzie. Ik was naar je op zoek. Je had al meer dan een uur geleden bij de wasruimte moeten zijn. Als je niet meer met me wilt samenwerken, zal pastoor Rico iemand anders moeten...'

'Nee,' zeg ik.

Hij komt dichterbij, op een armlengte afstand. 'Bedoel je: nee, ik wil niet meer met je samenwerken?'

Ik kan geen antwoord geven. Wat ik zou moeten zeggen en wat ik wil zeggen zijn twee verschillende dingen. Ben ik altijd zo verward geweest?

Ethan pakt me bij mijn arm. 'Jenna, praat alsjeblieft tegen me.'

'Ik moet... Ik wil met je blijven samenwerken, Ethan. Maar...'

Hij buigt zich naar me toe en kust me.

En ik kus hem terug.

We staan te zoenen op het altaar. We staan heftig te zoenen op het altaar van de kerk, pal voor de heiligenbeelden. Hoeveel strafpunten levert dat op?

Ik duw hem weg. Wat wil ik nou eigenlijk bewijzen? 'Dit kan niet,' zeg ik dan.

'Luister, ik weet dat ik in het verleden dingen heb gedaan die...'

'Ethan. Dit gaat niet om jou. Er is van alles veranderd. Er zijn dingen...'

'Vertel op,' zegt hij.

Ik kijk in zijn ogen. De spiegels van de ziel worden ze genoemd. Ik zie die van Ethan. Wat ziet hij als hij in de mijne kijkt? Als ik mijn blik afwend, zie ik nog meer ogen, van de heiligenbeelden die ons vanuit hun nissen in de gaten houden. Jozef. Maria. Franciscus. Hun blikken splijten me.

Je mag het niet vertellen.

Hou je mond, voor ons.

En vooral voor jezelf.

Je mag het niemand vertellen.

'Niet hier,' zeg ik. 'Ga mee naar buiten.'

58

Verteld

Net als de kerk is het kerkhof verlaten, maar er zijn geen hoekjes of schaduwen waar zich meeluisterende oren kunnen schuilhouden. Misschien horen ze me hier wel, maar ze kunnen en zullen mijn verhaal nooit doorvertellen. Zij zijn nog een stap verder dan de donkere plek. Daarover heb ik zelfs mijn ouders niet verteld. Hoe kan ik het Ethan vertellen?

We lopen over het gras tussen de dof geworden grafstenen door, stenen vol herinneringen aan levens en momenten. Ik weet niet waar we naartoe gaan. Het lijkt erop dat het einddoel niet belangrijk is, alleen de weg erheen. Na een hele tijd blijft Ethan staan bij een donkere, schimmelige nis met daarin het beeld van een wakende heilige, aangevreten door het weer en vuil van jaren. Dit moet de plek worden waar ik het ga vertellen.

Ik heb pijn in mijn hoofd. Het is voor het eerst dat ik deze pijn voel. Het lijkt bijna gewone hoofdpijn. Straffen mijn biochips me omdat ik probeer de waarheid aan het licht te brengen? Misschien ben ik wel zo geprogrammeerd dat ik nooit iets zal kunnen opbiechten. Misschien help ik mezelf hier ter plekke de vernieling in. Ik sla huiverend mijn handen voor mijn gezicht en masseer mijn slapen.

'Het geeft niet, Jenna. Je hoeft het me niet te vertellen,' zegt Ethan.

Ik druk hard tegen mijn slapen en probeer een besluit te nemen. 'Ik moet wel,' zeg ik dan. 'Ik moet het iemand vertellen.'

Het is gek. De zon schijnt. Het gras is stralend groen. Het kerkhof heeft bijna iets feestelijks door alle kleurrijke bloemen in het keurig gemaaide gras. Een schokkend contrast met de grimmige waarheid die ik dadelijk aan Ethan zal onthullen.

Ik strek mijn handen naar hem uit, met de handpalmen naar boven. 'Pak eens vast,' zeg ik. Dat doet hij. Hij knijpt erin. Ik verwonder me over het gevoel dat door mijn armen trekt, door mijn hoofd, door alles wat bewaard is gebleven en alles wat nieuw is. Ik vraag me af wat echt is en wat een kopie, hoe authentiek vervlochten is met nep. Ik verwonder me over het wonder dat Vader heeft verricht. 'Ze zijn niet echt, Ethan,' zeg ik. Hij trekt zijn wenkbrauwen op en schudt zijn hoofd. 'Het ongeluk,' leg ik uit. 'Ik ben mijn handen kwijtgeraakt bij het ongeluk. Deze zijn nagemaakt. Net als prothesen.'

Hij draait mijn handen voorzichtig om en bekijkt ze aandachtig, alsof hij me niet gelooft. 'Ze zijn prachtig,' zegt hij. Hij laat ze niet los. Streelt ze. 'Voel je dit?'

Ik knik. Ik voel ieder eeltplekje en rimpeltje van zijn vingers. Een aanraking zoals ik die nooit eerder heb gevoeld. Als fluweel, soepel, en als ik me concentreer, voelt zijn huid bijna alsof die van mezelf is. Ik zucht. 'Dit is nog niet alles, Ethan.'

'Wat is er nog meer?'

'Mijn armen. Mijn benen.' Ik kijk naar zijn ogen, op zoek naar het geringste spoortje afkeer, maar dat is er niet. Nog niet. 'Bijna alles,' gooi ik eruit. Zijn blik blijft onbewogen. 'Genoeg om me illegaal te maken. Héél illegaal. Volgens dat puntensysteem waarover Allys vertelde ben ik wel vijf keer illegaal.' Zijn blik hapert en ik voel alles instorten. Ik trek mijn handen los. 'Dus daarom wil mijn oma niet dat ik met je omga. Ze probeert jóú te sparen, niet mij. Ze weet, in haar eigen woorden, niet wat ze van me moet denken. Dat weet ik zelf ook niet, behalve dat ik een monsterlijke freak ben.'

Ethan loopt weg. Hij komt terug met zijn handen in zijn zakken gepropt. Staart me aan. Zijn gezicht is star. Angstaanjagend. Ik voel me slap. Wat heb ik gedaan? Ik had mijn mond moeten houden. Ik had naar Moeder moeten luisteren. Naar Lily. Het liefst zou ik mijn woorden terugnemen, maar het is te laat.

Zijn milde bruine ogen zijn ijskoude kraaltjes geworden. Alle warmte is verdwenen. 'Ik heb bijna iemand vermoord, Jenna,' zegt hij. 'Sommige mensen noemden me een monster omdat ik die man met een stuk hout heb geslagen toen hij al bewusteloos was. Maar zelf heb ik me nooit een monster gevoeld. Ik kan het me amper herinneren; er was iets in me geknapt.' Er staat zweet op zijn gezicht, ook al is het een koele dag. Zijn bekentenis komt er haperend uit, in het spoor van de mijne, alsof ze met elkaar verbonden zijn.

'Die kerel was dealer. Hij had mijn broertje drugs gegeven. Mijn broertje was pas dertien, Jenna. Hij wist van niks. Dus ben ik achter die dealer aan gegaan. Tijdens de strafzaak zeiden ze dat men niet kon tolereren dat mensen het heft in eigen handen namen. Voor eigen rechter spelen, noemden ze het. Maar er is hier geen sprake van "recht": die kerel loopt nog vrij rond en mijn broertje is verslaafd. Hij heeft sindsdien al diverse keren in een afkickkliniek gezeten.'

Hij zwijgt even en ademt diep in, bibberig. 'Dus ik weet wat een monster is, Jenna, en wij zijn geen van beiden monsters.' Zijn stem klinkt verstikt. Het is alsof mijn angst de zijne heeft blootgelegd. Ik sla mijn arm om hem heen en druk hem tegen me aan, streel de knobbels van zijn ruggengraat en zijn schouderbladen; ik denk na over de gebeurtenissen die ons hebben gemaakt tot wie we nu zijn. Zijn lippen zijn vlak bij mijn oor en ik voel zijn moeizame ademhaling op mijn huid. 'Niet aan Allys vertellen,' fluistert hij na een hele tijd.

'Over jou?'

Hij trekt me dichter tegen zich aan. 'Nee, over jou.'

%J%

Zouden ze dat ook vragen van iemand die echt is?

Er waren geen dagen.
Er waren geen nachten.
Anderhalf jaar was niets.
En toch was het een eeuwigheid.
Zestien jaar aan gedachten, gevangen in een gesloten circuit.
Een rondtollende glazen bal.
Vanbinnen aan diggelen, seconde na luchtloze seconde.
Maar iedereen zegt: niemand vertellen.
Hoe kan ik het voor me houden?

60

Een les natuurwetenschap

'Doorlopen, Dane!' Ik hoor de scherpe klank in Rae's stem. Haar ogenschijnlijk eindeloze lach en geduld hebben waarschijnlijk een onzichtbare grens. Dane glimlacht vanaf de rand van het ravijn en knikt, maar zodra ze haar blik afwendt, wordt zijn gezicht weer uitdrukkingsloos.

Ik loop naast Allys; we zijn voor de les natuurwetenschappen en ethiek op weg naar een drooggevallen kreek. Allys heeft de plek uitgekozen, en dat verbaast me. Ze loopt zonder krukken de helling af.

'Het gaat beter met je, hè?' zeg ik.

'Ja, de nieuwe software slaat goed aan. En precies volgens planning. Ze zeiden dat het een paar weken zou duren, en we zijn nu drie weken verder. De fantoompijn is er ook door afgenomen.'

'Wat goed.'

Ze haalt haar schouders op. 'Het is toch anders dan je eigen benen. Het blijft een lapmiddel.'

'Ben je daar verbitterd over?'

Ze blijft staan om uit te rusten en lacht naar me. Ik denk aan die keer dat ze zei: 'Ik mag jou wel, Jenna.' Haar gezicht is nu net zo mild als toen. 'Kom ik verbitterd over?' vraagt ze. 'Ik hoop van niet. Niet dat ik geen slechte dagen heb, maar ik doe mijn best om de verbittering om te zetten in vastberadenheid. Misschien kan ik iets betekenen voor anderen. Dat is genoeg.'

'Door je vrijwilligerswerk bij de taakgroep Ethiek?'

'Ja. Ik wil ervoor zorgen dat de wetenschap in de toekomst verantwoording zal moeten afleggen, zodat anderen niet hoeven door te maken wat ik heb doorgemaakt. Maar ik ben dankbaar dat ik deze heb.' Ze steekt haar prothesen naar voren. 'Echt waar. Ze zijn niet volmaakt, maar wie is er nou precies zoals hij zou willen zijn?'

'Niemand,' antwoord ik.

'Toen ik wél in een verbitterde fase zat, zei mijn therapeut dat iedereen op de een of andere manier het product is van zijn ouders, genen of omgeving.' Ze begint weer te lopen. 'En al zou ik misschien willen dat ik iets kon veranderen aan de kaarten die me zijn toebedeeld in het leven, dat kan toch niet. Dus rest me niets anders dan zelf te kiezen hoe ik het spel speel. En dat doe ik. Ik speel het spel zo goed mogelijk.'

'Dane!' roept Rae.

Van boven klinkt een niet al te enthousiast 'Ik kom'.

'Over genen en slechte kaarten gesproken,' zegt Allys met een blik over haar schouder en een geërgerd gezicht.

Ik blijf staan, pak haar arm en hou haar tegen. 'Ik mag jou wel, Allys.'

Ze kijkt me aan en er trekt een diepe rimpel over haar voorhoofd. 'Ik... mag jou ook, Jenna,' zegt ze traag. Ethan is al beneden; hij zit op een rotsblok bij de rivierbedding. Ik zie zijn waarschuwende blik.

Dan kijk ik weer naar Allys. 'Dat wilde ik alleen even tegen je zeggen,' zeg ik. 'Het is belangrijk dat je het weet.'

'Oké,' antwoordt ze. Ze lacht opgelaten.

Wat ben ik toch een kluns. Mijn timing is waardeloos. Maar ik moest het kwijt. Sommige dingen moet je uitspreken, hoe stom ze ook mogen klinken. Die kun je niet voor een andere keer bewaren. Misschien komt er geen andere keer.

We komen aan bij de drooggevallen kreek, waar een aantal rotsblokken ligt die samen als klaslokaal zullen dienen. Rae is meegegaan ter ondersteuning, maar tijdens deze bijeenkomst is Allys docent/medewerker. Dane voegt zich eindelijk bij ons, maar hij gaat op de overhangende tak van een nabijgelegen eik zitten in plaats van op een van de rotsblokken. Rae draagt hoge wandelschoenen en een spijkerbroek. Het past beter bij haar dan de pakken die ze normaal gesproken draagt. Ik denk aan mijn eigen kleding: eenvoudige bloesjes en broeken, gekocht door Claire. Lichtblauw, donkerblauw. Ze hebben de persoonlijkheid van een naaktslak.

'Kun je ons daar wel volgen, Dane?' vraagt Rae.

'Uitstekend,' antwoordt hij, gevolgd door zijn bekende zielloze lachje.

Allys opent de discussie met een bespreking van de manier waarop de Bt-bacterie is gemanipuleerd om gewassen ongediertevrij te houden, en ze vertelt over de introductie van transgene dieren in de voedselketen, enkele tientallen jaren geleden. 'Uiteraard leken die "doorbraken" destijds heel positief, zeker vanuit economisch standpunt...'

'Zijn we helemaal hierheen komen lopen om dit aan te horen?' zegt Dane kreunend.

'Wat is daar zo erg aan, heb je een drupje gezweet?' kaatst Gabriel terug. Het verbaast me, want Gabriel gaat niet snel een confrontatie aan. Misschien heeft hij net als Rae een onzichtbare grens en is die te vaak overschreden. Dane staart hem aan, maar reageert niet; geen uitdrukking rond zijn mond of in zijn ogen. Een dode blik. Dat is verontrustender dan een boze blik. Je kunt onmogelijk zien wat hij denkt.

'Ik weet dat jij het geduld hebt van een langzaam wegterende drol, Dane, maar ik kom heus wel op de reden van deze tocht. Niet dat ik een reden nodig heb, want voor de meeste mensen is het mooie weer genoeg.' Allys gaat verzitten op haar rotsblok, zich er niet van bewust dat ze Ethan en Gabriel een groot plezier heeft gedaan. Misschien zelfs Rae.

'Voordat de FCWE ertussen kwam om de wetenschappelijke laboratoria regels op te leggen, werden genetisch gemanipuleerde gewassen en transgene dieren met tientallen per jaar aan de voedselketen toegevoegd. Aangezien ze geen direct gevaar opleverden voor de volksgezondheid, werden ze alarmerend gemakkelijk toegelaten door de Voedsel en Waren Autoriteit. Maar...'

Ik weet waar ze heen wil. Ik moet mijn mond houden, maar de woorden komen al naar buiten voordat ik het besluit kan nemen niks te zeggen. '... maar niemand heeft gekeken naar wat er zou gebeuren wanneer die nieuwe soorten zich mengden met de oorspronkelijke. Dat is het gevaar, toch?'

'Precies,' antwoordt ze. 'Die mogelijkheid is niet eens overwogen. Daarom is een goede regelgeving zo belangrijk.'

'Om te voorkomen dat we laboratoriummonsters voortbrengen?' opper ik. 'Die de wereld in trekken en de oorspronkelijke soorten aantasten? Dat bedoel je toch?' Ethan staat op en springt op een nabijgelegen rotsblok om mijn aandacht te trekken. Hij wil dat ik mijn mond houd. Jagen Allys en mijn geheim hem dan zo erg de stuipen op het lijf?

'Nou, Jenna,' antwoordt ze, 'ik weet niet of "aantasten" het juiste woord is. Het gaat er meer om dat de oorspronkelijke bevolking geen gevaar mag lopen. Voor vele planten- en diersoorten is het al te laat, en daarom is het werk van de Federale Commissie Wetenschap en Ethiek zo...'

Ethan springt naar het volgende rotsblok en zwaait met

zijn armen boven zijn hoofd. 'Maar dat is nu juist het punt, hè, Allys? Zelfs de FCWE is regelmatig betrokken bij schandalen. Omkoping. Belangenverstrengeling. Heulen met...'

'Ethan! Welke grote overheidsinstantie heeft er nou nooit problemen? Alles wat je nu opnoemt speelde in de begintijd, toen de commissie pas bestond.'

Rae kijkt aandachtig toe. Het lijkt haar tevreden te stellen dat een eenvoudig lesje natuurwetenschap onverwacht zo bevlogen verloopt.

'Bovendien,' gaat Allys verder, 'zijn die zaken opgehelderd. Wie weet wat de laboratoria over de wereld zouden uitstorten als ze niet onder streng toezicht stonden.'

Ik ga staan. 'Waarschijnlijk een heleboel illegale zaken,' zeg ik. 'Freaks.' Ik loop naar Allys toe. 'Gevaarlijke freaks.' De freak ben ik zelf, en de manier waarop ik het zeg is verkeerd; mijn timing, eigenlijk alles.

'Juist,' zegt Allys, en ze staart me aan. Zwijgend. Is ze verbaasd over mijn mening? Of misschien over mijn vreemde houding? Of het feit dat ik haar op slechts een armlengte afstand sta aan te staren? Haar gedachten maken overuren. Wat mankeert Jenna Fox? Is er iets ánders aan haar? Ze voelt het. Ik zie het aan ieder wimperhaartje, aan het samentrekken van haar pupillen. Ze zoekt iets. Probeert de gaten in haar eigen synapsen op te vullen. Ben ik echt zo anders dan zij?

De tijd staat stil. Ik voel dat Ethan, Rae en Gabriel hun adem inhouden.

'Wat dóén we hier?' klinkt opeens de stem van Dane.

Allys kijkt hem aan. Ze bijt hem haar antwoord toe. 'Nog geen veertig jaar geleden, hopeloze idioot die je bent, zou jij nu onder water hebben gestaan. Kijk eens naar de hoge rand van het ravijn! Dit is ooit een rivier geweest. In slechts veertig korte jaren tijd is deze rivier, dankzij transgene manipulatie en het domino-effect daarvan, veranderd in een bijna volledig drooggevallen bedding. Dáárom zijn we hier, Dane. Les beëindigd!'

Ik kijk naar het miezerige stroompje. Naar de drooggevallen rotsblokken. Ik kijk naar wat de wetenschap heeft aangericht.

Naar mezelf. Naar het ravijn. En tot slot naar Allys. Inderdaad: les beëindigd.

61

Rood

Mijn vingers strijken langs de kleerhangers in mijn kast. Eerst mijn bloesjes, dan de broeken, allemaal in verschillende tinten blauw. Degelijk. Netjes. Functioneel. Nog geen fractie van de flair die ik in Rae's kleding heb gezien. Mijn kleren hebben totaal geen persoonlijkheid.

Zelfs Gabriel, die meer behoefte heeft om onopvallend te zijn dan de anderen, ziet er bij mij vergeleken uit als een opzichtige pauw. Gisteren, toen we het ravijn weer uit klauterden, liepen Dane en Gabriel achteraan. Niemand heeft gezien wat er gebeurd is. Dane beweert dat hij uitgleed, maar Gabriel was degene die naar beneden viel. Zijn shirt was half van zijn lijf gescheurd. Toen we weer in de auto zaten, was Gabriel woest. Hij wist dat het geen ongelukje was, maar hij zei alleen: 'Dat was mijn lievelingsshirt.' *Mijn lievelingsshirt.* Toen besefte ik dat ik geen lievelingskleren heb. En dat komt me nu opeens ontzettend belangrijk voor.

Ik pak twee blouses uit de kast en vergelijk ze met elkaar. Er is geen reden om een voorkeur voor een van beide te hebben. Het lijkt bijna wel ziekenhuiskleding. Het enige wat ik er mooi aan vind...

De kleur.

Er komt een herinnering naar boven. Kara en ik zijn aan het winkelen in Newbury Street. Het is een regenachtige lentedag en we gaan alle kleine zaakjes langs. Uiteindelijk komen we in ons lievelingswinkeltje terecht. Kara spreekt me streng toe: *Jenna, ik kan niet toestaan dat je wéér een blauw rokje koopt! Je hele kast is blauw!*

Mijn lievelingskleur was blauw.

En Kara's lievelingskleur was rood.

Claire heeft mijn kleding misschien haastig moeten uitzoeken en misschien heeft ze dit alles uitgekozen omdat het weinig aandacht zou trekken, maar ze heeft in elk geval gekozen voor een kleur waarvan ze wist dat ik hem mooi vond. Maar die dag, bijna twee jaar geleden, haalde Kara me over om een rood rokje te kopen. Ze had gelijk, ik was toe aan verandering. Wat is er met dat rode rokje gebeurd? Heeft Moeder mijn kleren uit Boston niet mee hiernaartoe genomen? Of misschien was dat een deel van het geheim. Een doodzieke, bedlegerige Jenna had toch niets aan korte rode rokjes, grote gebloemde zonnehoeden of bloesjes met kraaltjes en steentjes erop genaaid. Voor nieuwsgierige blikken moest het plaatje van de zwakke zieke in stand gehouden worden. Bovendien zou de nieuwe, kleinere Jenna toch nieuwe broeken nodig hebben. Broeken die niet verraadden dat ze zes centimeter gekrompen was door over de grond te slepen.

Nu snak ik naar dat rode rokje.

En naar de dag dat ik het kocht met Kara.

62

Een glimp

Het is stil op de weg naar het huis van meneer Bender. De wind blaast de goudkleurige bladeren ritselend door de goot. Dezelfde wind striemt in mijn gezicht. Het is koud, maar ik huiver niet. Dit is maar Californische kou, niet die van Boston. Vader en Moeder beweren dat ik die kou nooit meer zal voelen.

Wie weet.

Wil ik echt tweehonderd jaar blijven leven? Maar aan de andere kant: zou ik nog maar twee jaar willen leven? Is die beslissing aan mij? Ik ben bijna achttien. Achttien wát? Een ding van achttien dat een keuze kan maken? Als Vader zelf gelooft wat hij beweert, dat er een belangrijkste tien procent bestaat, dan neem ik misschien op een dag het besluit om naar Boston te gaan. Kara en Locke zijn in Boston.

Een harde windvlaag zwiept mijn haar voor mijn gezicht. Ik blijf met een ruk op straat stilstaan. Ik doe mijn ogen dicht, maar ik kan nog steeds zien, ik herinner me hoe het voelde toen ik twee jaar geleden een lok haar uit mijn gezicht streek; het zout, het frisse schuim van de branding, het geluid van de zeemeeuwen boven mijn hoofd, het gevoel van het zand tussen mijn tenen.

Die herinneringen duiken uit het niets op en bezorgen me stukjes van wie ik was, alleen is de betekenis ervan verloren gegaan. Met een zucht loop ik door, zonder te weten of deze herinnering belangrijk is of slechts het zoveelste triviale voorval uit Jenna's leven, zoals de aanschaf van een paar sokken. Misschien bestaat mijn hele leven daar wel uit: triviale dingen die samen een persoon vormen – en misschien heb ik nog wel niet genoeg onderdeeltjes om een hele persoon te zijn.

Mijn halfgevulde geheugen zit vol uitersten: flitsen van een chirurgische precisie gaan gepaard met stroperig trage zoektochten naar basiswoorden die een kind van vier nog wel zou weten; momenten van opzienbarende inzichten worden gevolgd door vlagen gênant traag begrip; enorme gaten waarin ik niet eens meer weet wat er met mijn beste vrienden is gebeurd, en dan ineens een glimp van mijn peutertijd, terwijl ik me die helemaal niet kán herinneren. En op het moment dat ik me het minst menselijk voel, herinner ik me dat ik Ethan zoende en me springlevend voelde – levendiger dan de oude Jenna zich naar mijn idee ooit gevoeld kan hebben. Zou dat voor de FCWE wat uitmaken?

In donkere, stille momenten midden in de nacht, als ik alleen ben, tel ik het aantal keren dat mijn borst rijst en daalt en bekijk ik met afstandelijke belangstelling dat *ding* dat ik nu ben, in het besef dat mijn ademhaling niet leidt tot zuurstofopname; het is allemaal voor de show. Ik ben bijna onder de indruk van het ritme, maar het staat me ook enorm tegen. En het voert me onverwacht terug naar een plek waar ik bijna kan voelen hoe mijn eigen vingers mijn oude ik aanraken. Jenna. De ware Jenna.

Ik vraag me af: bestaat ze wel? De ware Jenna? Of wachtte mijn oude ik altijd al tot ze iemand anders kon worden?

Schiet op, Jenna. Schiet op. De stemmen van Kara en Locke laten me niet los.

Of misschien ben ik degene die niet loslaat.

Ik morrel aan de grendel van het hek van meneer Bender

en zwaai het open. Zijn huis doet me denken aan *Walden* van Thoreau. Het is groter, maar toch rustiek en natuurlijk, met een dichtbegroeide tuin en wilde witte rozen die het dak van de veranda overwoekeren. Er komt geen antwoord als ik aanklop. Ik loop naar de zijkant van het huis, over zijn lange oprijlaan. Dan zie ik hem staan: hij staat naar het raam van zijn garage te kijken.

'Hallo,' roep ik.

Hij draait zich om en zwaait. 'Leuk dat je er bent.'

Als ik dichterbij kom, zie ik dat het raam aan diggelen is.

'Hebt u het stukgestoten?'

'*Iemand* heeft het gedaan.' Hij spreekt 'iemand' uit alsof het een naam is.

Ik kijk naar binnen. De tafels die er stonden zijn omgegooid en er is verf tegen de muren geslingerd. De zitting van een kruk is kapotgesneden en de vulling is eruit getrokken. Maar ik blijf stokstijf staan als ik de turkooizen auto zie die tussen de rommel staat. De stoffige hoes is er gedeeltelijk vanaf getrokken, waardoor een oude, duidelijk niet meer gebruikte auto zichtbaar wordt. *Die heb ik eerder gezien.* Maar ik weet niet waar. Misschien op een foto? Of heb ik ergens een auto gezien die er veel op leek?

'Hebt u de politie gebeld?' vraag ik.

'Nee, die wil ik erbuiten houden.'

'Vanwege uw geheim?'

'Ik moet de risico's afwegen, en dit is het niet waard. Ik kan de boel in een paar uur opruimen, en in geld uitgedrukt is het hooguit een paar honderd dollar. Wat me het meest dwarszit, is dat ze niets meegenomen hebben. Althans, voor zover ik het kan beoordelen. Er staat daar voor duizenden dollars aan gereedschap. Daar was het de dader blijkbaar niet om te doen. Het is puur het verknipte genoegen om de spullen van een ander te vernielen.' Net als die eerste keer dat ik hem sprak, staart hij hoofdschuddend naar het witte huis aan het einde van onze straat.

'Ik kan u wel helpen opruimen,' zeg ik.

'Nu niet. Dat doe ik straks wel.'

'Mag ik u dan iets vragen? Zou ik uw netbook mogen gebruiken?'

Hij aarzelt.

'Het mijne is kapot,' voeg ik eraan toe. Het is maar een klein leugentje.

'Kom maar mee.'

Met een paar zorgvuldig gekozen zoekwoorden worden de feiten vrijelijk aangevoerd. Vader en Moeder zouden zich rot schrikken. Zelf schrik ik me ook rot, want er wordt weer een vermoeden bevestigd: ze hebben nog steeds geheimen voor me. Belangrijke geheimen. Is er nog meer? Het netbook van meneer Bender weigert me niet één keer toegang, zoals dat van mij. Hij zet thee en gunt me privacy terwijl hij zelf wat papieren doorbladert. Het ene nieuwsbericht na het andere vult de gaten en creëert tegelijkertijd weer nieuwe. Ze omhullen me op een manier die ik niet had verwacht. Ik voel... ja, wat eigenlijk? Dat ik geen lucht krijg, net als Moeder? De behoefte om mijn blik af te wenden? Een plas van mijn eigen bio-nepbloed aan mijn voeten?

Ik leun achterover en staar naar het scherm. 'U wist het, hè, van Kara en Locke?'

Meneer Bender legt zijn papieren weg en knikt.

Ik staar naar het scherm en absorbeer ieder woord van deze glimp van mijn leven die alles zal veranderen.

Ondanks de ophanden zijnde civiele rechtsvordering laat de officier van justitie weten niet

over te gaan tot vervolging van Jenna Fox (16),
dochter van Matthew Fox, de oprichter van Fox
BioSystems hier in Boston. Naar het zich laat
aanzien zijn er geen getuigen van het ongeluk.
Passagier Locke Jenson (16) is twee weken na
het incident gestorven zonder nog bij bewust-
zijn te zijn geweest. De tweede passagier, Kara
Manning (17), liep ernstige verwondingen aan
het hoofd op toen ze uit de auto werd geslingerd en heeft de politie als gevolg daarvan
geen informatie kunnen verstrekken. Drie weken
na het ongeval is ze overleden, toen haar
familie de beademing liet stopzetten.

Met trillende vingers klik ik door naar de volgende pagina.

Fox, die nog geen rijbewijs had, is semi-coma-
teus en verkeert nog in kritieke toestand. Door
de ernst van haar brandwonden en ander letsel
kunnen de autoriteiten niet met haar communiceren en kan zij geen bijzonderheden over de
toedracht van het ongeluk verstrekken. Onder-
zoekers zeggen niet uit te sluiten dat er een
tweede voertuig bij betrokken is geweest, maar
het ziet ernaar uit dat de auto van Fox door
hoge snelheid en roekeloos weggedrag van Route
93 af is geraakt en een val van ruim veertig
meter heeft gemaakt, een steile helling af.
De waterstof in de tank van de *tri-energy* BMW,
die op naam stond van Matthew Fox, heeft een
explosie veroorzaakt, waardoor er voor het
onderzoeksteam weinig overbleef voor een
reconstructie van de avond van het ongeval.

Ik sluit het netbook van meneer Bender af.

Op de een of andere manier wist ik al dat ik hen nooit meer zou zien.

Ik wist dat ze dood waren.

Hoe wist ik dat? Sinds wanneer? Heb ik er, voordat mijn hersenen werden gescand, voordat mijn tien procent werd bewaard, iemand over horen praten in het ziekenhuis? Heeft mijn moeder aan mijn bed gehuild om Locke, en later om Kara, in het besef dat haar dochter verantwoordelijk was voor hun dood?

Maar het was niet mijn schuld.

Dat kan niet.

'Het is niet waar,' zeg ik. 'Ik heb het niet gedaan. Dat zou ik me herinneren.'

'Je hebt twee vrienden verloren. Misschien heb je de herinnering geblokkeerd.'

Of iemand anders heeft dat voor me gedaan.

Geen wonder dat Vader en Moeder er niet over willen praten. Ik heb de dood van mijn beste vrienden op mijn geweten. *Hoge snelheid en roekeloos weggedrag.* Hun dierbare Jenna was dus toch niet volmaakt.

Schiet op, Jenna. Blijven die woorden dáárom maar door mijn hoofd spoken? Om me eraan te herinneren wat ik heb gedaan? Vreemd genoeg voel ik wel iets, maar het is geen schuldgevoel. Maakt dat me tot een monster?

Ik herinner me *iets*. Een beetje.

Zwarte lucht. Sterren. De lichtkring van een lantaarnpaal. *Hier. Gooi maar.* Sleutels die door de lucht vliegen. Mijn uitgestoken hand. *Schiet op, Jenna.* Een glimp van de avond waarop alles is veranderd. Vader en Moeder mogen de herinneringen dan grotendeels geblokkeerd hebben, ze hebben niet alles kunnen tegenhouden. Een verklikkende neurochip heeft besloten mij een versluierd kijkje te bieden op wat ik heb gedaan. Wie lacht er nu het laatst, Vader of ik?

Meneer Bender stelt voor om een wandelingetje te gaan maken in de tuin. Als hij de vogeltjes voert, pikken ze voer van zijn handpalm. Ik steek mijn hand even uit, maar ook deze keer komen ze niet naar me toe. En misschien weet ik nu hoe dat komt.

63

Iets heel simpels

Ik ruk dozen open. Doos na doos. Boeken. Borden. Papieren. Kleding. Souvenirs. Ik gooi alles eruit. Doos na doos. Na doos. Alles overhoop. Ik zoek. Ik trek het niet meer.

Er is niets van *mij* bij.

Ik zak in elkaar op de grond, tussen de puinhoop die ik heb aangericht in de garage, en er ontsnappen vreemde kreten aan mijn keel.

Het klinkt als een beest.

Dat ben ik ook.

Ik ben een beest.

Zonder verleden, behalve datgene wat ze me toestaan.

En het enige wat ik vandaag wilde vinden was iets heel simpels.

Een rood rokje.

64

Een andere donkere plek

'Kamerhoog, denk je ook niet?' Claire richt haar laser op het plafond en noteert de maten.

'Prima,' zeg ik. Ik kijk toe hoe ze de gordijnen voor mijn kamer opmeet. Ik neem de hoeken in me op, het licht dat schuin door de ramen naar binnen valt, door het glas dat ons scheidt, en ik denk aan de ironie van gordijnen om duisternis te scheppen.

Ik staar haar aan. Mijn moeder is een oudere versie van mij, maar ze is ook iets wat ik nooit zal zijn. Oud. Mijn huid en botten verouderen niet – mijn Bio Gel bereikt op een dag gewoon zijn uiterste houdbaarheidsdatum en houdt er dan mee op. Als ik zou trouwen, zou ik niet samen met mijn man oud worden. Ik kan binnen twee jaar doodgaan of honderd jaar langer leven dan hij. Een interessant vooruitzicht. Welke prijs heeft Claire betaald om haar enige kind te behouden?

Als ze me ziet staren, gaat ze nog drukker in de weer. Ze kwebbelt, vult de ruimte, is op haar hoede maar kijkt me niet aan. Ze doet er alles aan om het oppervlakkig te houden, maar op de een of andere manier kan ik het haar niet kwalijk nemen. Ze heeft verteld dat ze maandenlang ergens heeft vertoefd waar het net zo donker was als op mijn donkere plek. Misschien wil ze aan de oppervlakte blijven om te voorkomen dat ze weer wegzakt naar die tijd toen ze geen lucht kreeg.

Ze meet de hoogte en breedte van de gordijnen zorgvuldig als een chirurg die zijn lancet hanteert, alsof het een kwestie is van leven of dood. Misschien is het dat voor haar ook wel.

Als ik in haar buurt ben, doet ze altijd heel voorzichtig. Is dat woord daarom voortdurend aanwezig in mijn gedachten? Ze is voorzichtig in haar bewegingen, voorzichtig met haar woorden. Niets verloopt ontspannen tussen ons. Is ze voorzichtig uit angst dat ik zal breken? Of misschien uit angst dat ze zelf zal breken? Als ik alleen in het donker mijn ademhalingen tel, doet zij dan hetzelfde in de duisternis van haar eigen kamer, waar ze zich afvraagt... of het dat allemaal waard is geweest?

Nu, in het licht dat door het raam naar binnen valt, is ze druk in de weer, vastberaden om de controle terug te krijgen over de natuurlijke gang van zaken. Al haar bewegingen zijn als een klap, een dreun, een vuist die iets in vorm kneedt.

'Ongeluk,' zeg ik.

Ze klikt de laser uit. Kijkt me aan, meteen lijkbleek, met holle ogen. 'Wat?'

'Ik kan het woord uitspreken. Ongeluk. Ik neem aan dat dat ook een van jullie aangebrachte suggesties was: dat ik nooit over het ongeluk zou praten.'

Ze legt de laser op mijn nachtkastje. Kijk me uitdrukkingsloos aan. Zwak.

'Nee,' zegt ze, en ze laat zich langzaam op de rand van mijn bed zakken. 'Volgens mij was dat iets in jouw binnenste, iets waardoor je het niet hardop kon zeggen.' Ze knikt alsof ze woorden bijeenraapt die ze heeft opgespaard. 'En we wilden niet aandringen.'

'Ze zijn dood,' zeg ik.

Haar ogen glinsteren. Ze steekt haar armen naar me uit en ik laat me erin glijden als een veertje op een lichte wind-vlaag, moeiteloos meegedragen door Claires kracht.

Ik ga naast haar op het bed zitten en voel haar armen om me heen. Samen wiegen we heen en weer op een oerritme. 'We probeerden er in het ziekenhuis over te beginnen,' fluis-tert ze, en haar adem en haar tranen zijn warm op mijn wang. 'Je kon het niet aan. Alleen al communiceren werd je te veel. Kort daarna raakte je in coma. We waren bang dat we het erger hadden gemaakt, dat we te veel van je hadden verlangd. Die fout wilden we niet nog eens maken.' Ze maakt zich van me los en kijkt me in de ogen. 'Het was een ongeluk, Jenna. Een ongeluk. Je hoeft niet alle details op-nieuw te beleven.'

'Hebben jullie daarom alles geblokkeerd in ons netbook?'

Ze knikt weer. 'Toen je bijkwam, leek je het je niet te her-inneren. We wilden niet dat je onverwacht ergens op stuitte en een terugval zou krijgen.'

Ze trekt me weer tegen zich aan en drukt mijn hoofd tegen haar borst. Ik hoor haar hartslag. Vertrouwd. Het ge-luid dat ik in haar baarmoeder hoorde. Het ge-*woesj*, het ritme, de golven die mijn prille begin op een andere donkere plek begeleid hebben. Toen had ik nog geen woorden voor die geluiden, alleen gevoelens. Nu heb ik ze allebei. Ik her-inner het me haarscherp, als de dag van gisteren.

We liggen samen op mijn hoofdkussen, in elkaars armen zonder iets te zeggen, en de tijd wordt een vergeten detail. Seconden en minuten worden een uur of meer. Ik wil me niet verroeren. Claire streelt mijn voorhoofd, ik doezel weg, het binnenvallende licht wordt goudkleurig en gaat over in schemer, de middag verstrijkt.

'Ik vind het zo erg,' fluister ik ten slotte. Erg van Locke en Kara. Erg dat ze zich maandenlang zorgen heeft gemaakt.

Erg dat we nu op deze manier moeten leven. Dat ik haar op afstand heb gehouden. Ik vind het erg voor haar dat ik niet volmaakt ben.

'Ssst,' zegt ze, en ze streelt mijn hoofd weer. Dan voegt ze eraan toe: 'Ik vind het ook erg.'

Ik zie de ring met stofstaaltjes op mijn nachtkastje liggen. 'Die staaltjes zijn allemaal blauw,' zeg ik. 'Heb je geen rode?'

'Rode?'

'Mag ik rode gordijnen?'

'Je mag alles hebben wat je maar wilt. Alles.'

Ik doe mijn ogen dicht en leg mijn oor weer tegen haar borst. Luister naar de geluiden, de hartslag van Claire, de wereld van mijn prille begin, toen er geen twijfel over bestond of ik wel een ziel had. Toen mijn bestaan zich afspeelde in een warme, fluweelzachte vloeistof zo donker als de nacht, en die donkere plek de enige was waar ik wilde zijn.

65

Percentages

Ik vouw een vergeeld tafelkleed op en leg het op de bodem van een doos. 'Het spijt me van de vaas. Ik keek niet uit.'

Lily maakt een geluid waarvan ik niet weet of het verontwaardigd gesnuif of een lach is. 'Dat kun je wel zeggen, ja.'

Ik hoorde haar vanmorgen vloeken. Ik wist meteen waarom en holde door de achterdeur naar buiten. Bij het opendoen van de garagedeur – om de auto te pakken – had ze de puinhoop ontdekt die ik daar had aangericht.

'Geld heb ik niet, maar ik bedenk wel een manier om de schade te vergoeden.'

Ze gaat niet op het aanbod in. 'Het is kennelijk je nieuwe specialiteit om van alles kapot te maken. Ik vind het bijna jammer dat ik er niet bij was toen je vanmorgen met borden begon te smijten voor de ogen van je ouders.'

'Dat was niet leuk.'

'Op dat moment waarschijnlijk niet, nee.'

Ik vouw een volle doos dicht en begin de volgende te vullen. Alles hier is van Lily. 'Waarom staan je spullen hier in dozen?'

'Die zouden naar de opslag gaan. Voordat ik hier kwam wonen was ik... Laten we zeggen dat ik met de noorderzon wilde vertrekken.'

'Met de noorderzon?'

'Zo zeg je dat als iemand zijn problemen wil ontlopen en onverwacht verdwijnt. Ik wilde het liefst het land uit. Ik wist dat jij zou worden... Dat je ouders...' Zuchtend schudt ze het stof uit een kasjmier gleufhoed. 'Ik wist dat het moment was aangebroken.'

Het moment. Bijna een soort wedergeboorte. 'Hoe was het?'

Lily schrikt. 'Wat bedoel je?'

'Heb je mijn... constructie gezien?' Het klinkt cru. Het wás ook cru.

Ze schudt verwoed haar hoofd. 'O, nee. Toen ik eenmaal wist wat ze van plan waren, ben ik in Kennebunk gebleven. Je moeder en ik praatten in die tijd nauwelijks met elkaar.'

'Jij keurde het af.'

Ze zegt niks en legt de hoed boven op een volle doos en vouwt die dicht. Dan scheurt ze een halve meter tape van de rol; het krijsende geluid snijdt door de stoffige stilte. 'Afkeuren is misschien niet het juiste woord,' zegt ze na een hele tijd. 'Het was eerder de schok. Of de angst.' Ze denkt nog even na en voegt er dan aan toe: 'Misschien is afkeuren toch wel het juiste woord. Ik weet het niet. Het was het onbekende.'

Ik begrijp het. Zelf ben ik ook bang voor het onbekende: de flarden van herinneringen die nog steeds nergens bijhoren; de rol die ik heb gespeeld in de dood van Kara en Locke; hun stemmen in mijn hoofd, te vers. En het voortdurende spel van het afwegen van percentages en de vraag of tien procent van het ene net zoveel waard kan zijn als negentig procent van iets anders. En dan het antwoord dat altijd door mijn neuronen en neurochips speelt: onbekend.

'Dat is iets wat Vader en Moeder niet gepland hadden: het onbekende. Er is veel wat ik hun niet heb verteld.'

Ze veert op en lijkt bijna blij te zijn dat ik iets aan te merken heb op de daad van Vader en Moeder. 'Zoals?' zegt ze.

'Ik herinner me mijn doop – en zelfs dingen van daarvóór.'

Er verschijnt een rimpeltje tussen haar wenkbrauwen. 'Weet je dat zeker?'

Ik knik. 'Eerst vond ik het akelig, maar nu... nu stelt het me op de een of andere manier gerust. Alsof ik alles nog heb van wie ik vroeger was, misschien zelfs meer dan de oude Jenna ooit heeft gehad. Het zou een compensatie kunnen zijn van wat ik kwijtgeraakt ben. Of misschien brengt het de percentages in evenwicht?'

'Percentages,' zegt ze geërgerd. 'Die zijn voor economen, opiniepeilingen en politici. Percentages zeggen niks over je identiteit.' Ze stapelt boeken in een doos en kijkt dan op. 'We heb je hun nog meer niet verteld?'

Ik pieker nog over het woord *identiteit* als ik antwoord geef. 'Ik hoor stemmen.'

'Uit je herinneringen?'

Ik aarzel. 'Dat weet ik niet precies. Soms lijken ze... vers. Alsof ze rechtstreeks in mijn oor fluisteren.'

Ze verstijft. 'Van wie?'

'Kara en Locke. Althans, dat denk ik.'

Ze gaat op een doos zitten.

'Ik weet het,' zeg ik. 'Dat ze dood zijn.'

'Je herinnert je het ongeluk.'

'Nee. Ik heb erover gelezen. Maar ik denk dat ik het al wist, ergens diep in mijn binnenste. Het was geen schok voor me toen ik erachter kwam. Eerder een bevestiging.'

Ze kijkt omhoog naar de dakspanten, naar de lucht, en haar blik gaat langs de houten balken alsof ze is vergeten dat ik er ben.

'Het waren fijne mensen,' zegt ze.

'Ik heb het niet gedaan, Lily.' Ik ga voor haar neus staan, zodat ze wel naar me moet kijken. 'Ik heb ze niet gedood.'

'Het was een ongeluk, Jenna. Hoe het ook is gegaan, het is niet opzettelijk gebeurd. Dáár is iedereen het tenminste over eens.'

Ik knik. Maar het was meer dan zomaar een ongeluk. Ik zou strafrechtelijk vervolgd zijn als ik niet zo zwaargewond was geweest. Wat zou de politie doen als ze me nu zagen? *Maar er is meer aan de hand.* Het schiet door me heen en probeert een verband te leggen. Losse eindjes. Neuronen. Neurochips. *Ik heb mijn vrienden niet gedood.* Of misschien kan ik niet accepteren dat ik het heb gedaan. Misschien zou dat het definitieve einde van Jenna's volmaaktheid betekenen. Ik raap drie boeken op die over de vloer verspreid liggen en prop ze in de doos.

Lily staat op en houdt de flappen tegen elkaar terwijl ik de doos dichtplak. 'Waarom vertel je dit aan mij en niet aan je ouders?'

Het verbaast me dat ze dat vraagt. Is het een test? We weten het antwoord allebei.

Maar zo is het altijd geweest.

Ik herinner me de weekends dat ik met de trein naar haar toe ging. Ik bedacht onderweg al wat ik haar allemaal zou vertellen, alle gebeurtenissen, zorgen en vergissingen waarmee ik niet naar Vader en Moeder kon gaan. Die bewaarde ik voor Lily, omdat zij naar me luisterde. Soms word je er moe van als alles voor je wordt opgelost. Als ieder probleempje een project wordt. Als iedere tekortkoming besproken moet worden. Dan moet je een keer je verhaal aan iemand kwijt. Mijn iemand was Lily.

'Ik meen me te herinneren dat je heel goed kon luisteren zonder meteen over de inhoud te vallen.' Ik trek een laatste stuk tape van de rol en plak het over de flap. 'Het wordt zwaar, hoor, als je altijd volmaakt moet zijn. Je weet dat er op een dag iets zal gebeuren, dat er een probleem kan opduiken dat niet keurig in een projectje past. Iets wat niet op te lossen is. En wat blijft er dan van je over?'

Ze aarzelt geen moment. 'Dan word je een gewone sterveling, net als wij,' zegt ze. Ze draait zich om en gaat druk in de weer met de rest van de troep die ik heb gemaakt. Ik zou bijna medelijden met haar krijgen. Ik zie dat ze op het slappe koord balanceert. Zelf doe ik dat al sinds het moment dat ik die blauwe gel onder mijn opengehaalde huid zag.

'Je hebt me nog niet verteld,' zegt ze dan, 'wat je nou eigenlijk zocht toen je laatst in een menselijke tornado veranderde.'

Ze zegt het per ongeluk, meer is het niet. Ik moet er niet te veel betekenis aan hechten, maar toch valt het woord *menselijk* me meteen op. Ik zou maar al te graag een menselijke tornado zijn.

'Iets om aan te trekken.'

'Dat kan van alles zijn.'

'Ik zocht een rood rokje van vroeger.'

'Dat moet wel een heel bijzonder rokje zijn geweest.'

'Dat was het ook. Ik heb het samen met Kara gekocht.'

'O.' De betekenis van het rokje klinkt door in die ene letter.

'Ik wilde eens wat anders dan al die blauwe bloesjes en broeken. Ik dacht dat het hier zou kunnen liggen, maar misschien heeft Claire mijn spullen in Boston achtergelaten. Om de schijn op te houden, neem ik aan.'

'Zoiets zal het wel zijn, ja.'

Ik ga aan de slag met stoffer en blik en verander van onderwerp. 'Maar je hebt me nog niet verteld hoe al die dozen uiteindelijk híér terechtgekomen zijn.'

'Via een omweg,' zegt ze fronsend. 'Claire belde me. Jullie woonsituatie was een probleem geworden. Ze was ten einde raad. Het huis waar ze zouden gaan wonen, ging op het laatste moment niet door. Maar je vader had een oude jeugdvriend, Edward, die hij kon vertrouwen. Edward vertelde dat vlak bij hem het ideale huis te koop stond: het juiste klimaat, afgelegen, ruim; een beetje vervallen, maar verder precies wat je ouders zochten. Alleen wilden ze niet dat het op naam van je vader kwam te staan, zodat het te herleiden zou zijn naar zijn bedrijf. Ze hadden haast, dus ik was de snelste oplossing. Claire en ik hebben nooit dezelfde achternaam gehad, en sowieso houdt niemand bij wat ik doe. Dus heb ik het huis voor hen gekocht.'

'Maar dat wil nog niet zeggen dat je hier ook moest komen wonen.'

'Ze vroeg het me. Nee, dat zeg ik verkeerd: ze sméékte me. Zei dat ze me nodig had. Ze was bang. En ik dacht: wat ik ook van de hele zaak vind, ze is wel mijn dochter. Mijn enige dochter.'

Dus Lily laat zich ook beïnvloeden door Claire. Zoveel verschilt ze niet van mij.

Ze kijkt naar me op, knijpt haar ogen tot spleetjes en schudt dan haar hoofd. 'Ik kan je de rest net zo goed vertellen. Ik ben ook aangetrokken als onderdeel van het ontsnappingsplan – mocht dat nodig zijn.'

'Wát?'

'Ze hadden een ontsnappingsplan nodig voor het geval de politie hen in de gaten zou krijgen. Dus terwijl je ouders hun smoesjes ophangen, moet ik jou snel afvoeren naar Edward, die ons op zijn beurt weer het land uit zal helpen. De keuze is gevallen op Italië, omdat de wetten daar minder streng zijn dan hier en het klimaat er goed voor je is.'

Afvoeren. Als het vuil dat ik net met de veger op het blik heb geschoven. 'Waarom hebben ze me niet metéén *afgevoerd*?'

'Waarom doen je ouders de dingen die ze doen? Ze willen álles. En als ze het ongestraft voor elkaar kunnen krijgen, zullen ze het niet nalaten.'

Ik merk haar woordkeus op: ongestraft voor elkaar krijgen. Ze hebben mij 'voor elkaar gekregen' en daar hoort straf bij. Nu is Lily tegen haar zin betrokken geraakt bij iets waar ze niet achter staat, iets wat verboden is. Hoe ver gaat een ouder voor zijn of haar kind?

'Waar zou je nu zitten als je niet in dit geweldige oord woonde?'

Ze glimlacht. 'Ik was destijds op weg naar de villa van een vriend, in de buurt van Montalcino in Toscane. Geen onaardig plaatsje om je terug te trekken. Ik mocht er zo lang wonen als ik wilde. Ik wilde zelfs proberen wijn te gaan verbouwen.'

Lily's eigen kleine Walden. Het is er nooit van gekomen. Door dit alles. 'Dus je hebt een Italiaanse villa met wijngaard verruild voor een aftandse Cotswold-cottage en een illegaal proefdier. Jij bent geen goede onderhandelaar, hè Lily?'

Ze leegt het blik met de glasscherven in de vuilnisbak en kijkt me even strak aan. Dan slaat ze het blik tegen de rand om de laatste stukjes eraf te schuiven. 'Valt wel mee,' zegt ze.

De troep is opgeruimd. We hebben hier niks meer te zoeken. Ongemakkelijk blijven we staan. De reden van onze samenwerking is ten einde gekomen en ik wil nog zoveel méér van Lily. De klunzige mezelf-niet-Jenna komt naar boven en ik stap van het slappe koord waarop we balanceren.

'Zou ik dit gewild hebben, Lily? Zou de Jenna die jij kende, hebben willen zijn wat ik nu ben?' Onmiddellijk ben ik wanhopig bang, want ik heb een grens overschreden. Een zwart-wit onderscheid, ja of nee.

'Het ligt eraan, Jenna,' zegt ze. 'Wat ben je nu precies?'

Het zwart-witte antwoord dat ik had verwacht gaat over in vaalgrijs. 'Dat weet ik niet,' antwoord ik.

'Zolang je die vraag niet kunt beantwoorden, kan ik geen antwoord geven op de jouwe.'

66

Identiteit

identiteit de (v.) **1.** eenheid van wezen: men is zichzelf, niet een ander **2.** zelfbesef dat in de loop der tijd eenheid en continuïteit verschaft **3.** exacte overeenkomst in aard of eigenschappen **4.** onafhankelijk of afzonderlijk bestaan **5.** kenmerken van een persoon die hem of haar onderscheiden van anderen

Ik streep ze af.

Ik onderscheid me van anderen. Is een op de vier genoeg?

Lily zegt dat percentages en politici je identiteit niet bepalen, maar ze hebben die van mij wel bepaald: illegaal laboratoriumschepsel. Dat zijn de kaarten die ik toebedeeld heb gekregen. Is dat wat Allys bedoelde?

Allys is zo zeker van zichzelf. Een en al zelfvertrouwen. Ze noemt Dane zonder met haar ogen te knipperen een langzaam wegterende drol. En mij noemt ze zonder het te weten een proefdier. Waarom word ik zo aangetrokken tot iemand die mijn ondergang zou kunnen betekenen? Waarom heb ik zo'n behoefte aan haar als vriendin?

Volgens het woordenboek zou mijn bestaan onafhankelijk of afzonderlijk moeten zijn, en toch voelt het alsof het door anderen wordt omhuld.

%E%

Het onweetbare

Zijn er dingen die ik nooit zal weten?
Onbeantwoordbare zaken die ik zal moeten aanvaarden?
Ben ik veranderd zoals iedereen verandert
en hebben de tijd en de gebeurtenissen me gevormd?
Of ben ik een nieuwe Jenna, product van de technologie,
veranderd door wat er is toegevoegd – of juist weggelaten?
En als die oorspronkelijke tien procent echt genoeg is,
wat zou er dan gebeurd zijn als het negen procent was geweest?
Of acht?
Verschilt het ene getalletje zoveel van het andere?
Wanneer is een cel echt te klein om onze essentie te bevatten?
Zelfs vijfhonderd miljard neurochips vertellen me dat niet
en ik betwijfel of ze het ooit zullen vertellen.
De vraag die steeds weer door me heen gaat: ben ik genoeg?
Ik besef voor het eerst dat het niet alleen míjn vraag is,
maar ook die van de oude Jenna.
En ik denk aan Ethan en Allys en zelfs aan Dane.
Dan vraag ik me af
of het ook ooit hún vraag is geweest.

68

Omgeving

'Ik ga je vader halen, ik blijf niet lang weg,' roept Claire onder aan de trap.

Ik hoor haar wegrijden. Het huis is verlaten. Lily is naar de zondagsmis. Ze hebben me nooit eerder alleen thuisgelaten. Beginnen ze me te vertrouwen? Ik kijk door het raam naar de veranda beneden. De hele reling is vervangen en de stenen muurtjes zijn gerepareerd. De Cotswolt-cottage begint er steeds meer uit te zien als een echt huis in plaats van een ruïne. De magie van Claire doet zijn werk. Elke dag gaat het huis erop vooruit. De kamers boven zijn nog steeds leeg, maar ze zijn nu in ieder geval schoon en de spinnenwebben zijn weggeveegd.

Ik heb vandaag mijn eigen kamer opgeruimd. Claire heeft geen werkster meer, zoals in Boston. Ze wil geen nieuwsgierige blikken of luisterende oren in huis. Als een van de werkmannen binnen moet zijn, volgt ze hem op de voet. Ze krijgen geen minuutje de kans om rond te snuffelen.

Er valt weinig op te ruimen. Mijn kamer is nog kaal. 'Op het bot is het leven het zoetst,' zeg ik tegen de muren. Ik moet lachen om mijn eigen pienterheid. Als ik een stofdoek over mijn bureau en bureaustoel heb gehaald ben ik klaar.

Ik pak *Walden*, dat tegenwoordig woord voor woord is geüpload naar mijn biochips, maar het is toch anders om een echt boek open te slaan. De geur die eruit opstijgt, en het feit dat je de woorden een voor een kunt bekijken en de vorm en nuances ervan in je kunt opnemen. Ik vraag me af wat voor geluiden en geuren Thoreau omringd hebben bij iedere zin en paragraaf die hij schreef.

Terwijl ik de bladzijden omsla en het papier voel, vraag ik me af of de bomen uit Thoreaus bos er nog altijd staan, en wat Thoreau zou denken als hij nu een bezoek zou kunnen brengen aan mijn vijver en eucalyptusbos. Ik vraag me af of ik, in tegenstelling tot Thoreau, mijn vijver en bos over tweehonderd jaar nog steeds zal kunnen bezoeken. Als ik de bladzijden van het boek omsla en de woorden en de ruimtes ertussen lees, heb ik tijd om aan dat soort dingen te denken. Dit soort gedachten is niet opgeschreven of geüpload in mijn Bio Gel. Ze zijn van mij en van niemand anders. Ze bestaan nergens anders in het universum, alleen in mijn innerlijk.

Ik sta eens goed stil bij die nieuwe gedachte. Stel je voor dat ik niet de kans had gekregen om nieuwe herinneringen te verzamelen en op te bouwen. Voordat ik besef wat ik doe, hoor ik mezelf 'dank u' in de lucht fluisteren. Ik ben wel degelijk dankbaar dat ik er nog ben, hoe hoog de prijs ook is die ik ervoor heb betaald. Ben ik soms vergeten door wat voor hel ik ben gegaan, of zijn deze nieuwe herinneringen een stootkussen dat de scherpe kantjes ervanaf haalt?

Ik leg *Walden* terug op mijn bureau en loop met de stofdoek naar mijn kast om hem in de wasmand te gooien. De sleutel. Bijna vergeten. Ik krijg het weer koud als ik terugdenk aan Vaders gezicht toen ik erover begon. Ik buk om de hoek van het tapijt los te trekken. De sleutel ligt er nog; ik klem mijn vuist eromheen alsof ik bang ben dat hij zal verdwijnen. Dan loop ik naar de trap en buig me over de leuning.

'Claire? Lily?'

Hier! Jenna! Ik schrik zo dat ik bijna de sleutel laat vallen. Trillend sta ik op de overloop. Te luisteren. Maar het huis is stil. Was het slechts een stem in mijn herinnering?

Met de sleutel in mijn hand loop ik de eerste trede af. Ik weet al wat er in Moeders kast staat. Alleen maar computers. Maar het was toen donker. Misschien heb ik iets over het hoofd gezien. Wat zou Vader voor me verborgen willen houden? In mijn binnenste bonst iets, maar ik weet dat het geen hart is. Ik loop nog een trede af, en nog een en nog een, tot ik voor de deur van Moeders kamer sta.

Is dit verraad, nadat we zo moeizaam tot elkaar zijn gekomen, na onze liefdevolle momenten samen? Ik kijk over mijn schouder de lange, lege gang in. 'Moeder?' Mijn stem klinkt gespannen. Als ik mezelf hoor, neemt het gebons vanbinnen toe. De wanden van de gang pulseren in de stilte. Ik duw haar deur open.

De kamer is licht en ruim, niets om bang voor te zijn. Als ik naar binnen ga, hoor ik het onhandige geschuifel van mijn voeten op de vloer. *Jenna.* Ik blijf staan. Mijn ademhaling hapert weer en ik druk mijn nagels in mijn handpalm. Een stapje dichter naar de kast toe. Ik denk nog een keer aan de bezorgde blik van Vader en steek dan de sleutel in het slot, draai hem om en zwaai de deur open.

De tafel staat er nog.

Met de computers erop.

De groenige gloed.

Deze keer weet ik het lichtknopje te vinden aan de buitenkant en ik knip het licht aan. Het is een gewone kamer. Kale muren. Ik kijk naar de vloer, het plafond en onder de tafel. Er is hier niets anders dan de drie computers. De mijne staat nog in het midden en een van de bouten is nog altijd los. Ik doe een stap naar voren om hem aan te raken, maar dan deins ik terug.

Ik kan me niet herinneren dat ik in Boston een eigen computer had. Dat moet wel, want mijn naam staat er duidelijk op, aan de zijkant. De computer is groot en heeft een vreemde vorm, anders dan alle computers die ik ooit heb gezien, vijftien bij vijftien centimeter met twee poorten, allebei ongebruikt. Er is geen monitor bij. Dit moet het zijn. Datgene wat ik niet mag zien.

Ik sta daar maar en probeer een besluit te nemen. Hen vertrouwen of... of vertrouwen op de fluistering in mijn binnenste.

Als ik de computer kon loskoppelen, zou ik hem kunnen aansluiten op mijn netbook beneden om te kijken wat erop staat. Ik raak met mijn vingertoppen mijn naam aan. *Jenna Angeline Fox*. Mijn vingers tintelen. Waarom hier?

Op de andere twee computers zit geen etiket. Misschien zijn die ook van mij. Ik leg mijn hand op de eerste van de twee. *Nu! Schiet op!*

Ik trek met een ruk mijn hand terug. Mijn hoofd bonkt. Ik raak de tweede computer aan en vraag me af waar hij voor dient. Dan ga ik op mijn hurken zitten.

Er zitten wel etiketjes op. Vaag, haastig met pen beschreven. *L. Jenkins* en *K. Manning*.

Wat?

Met knikkende knieën laat ik me op de vloer zakken. Wat zijn...? Hoe...? Waarom...? Ik kan mijn gedachten niet afmaken. Ze struikelen over elkaar heen en onderbreken elkaar. Ik sta op en doe een stap naar achteren om de drie vreemd gevormde gevallen te bekijken. Wat moeten Vader en Moeder nou met hún computers? Ik ren de kast uit en de gang door, naar de keuken, waar Lily een la vol gereedschap heeft. Ik rommel erin, op zoek naar een schroevendraaier. Het is nu geen vraag meer, ik weet wie ik kan vertrouwen. Als ik een grote schroevendraaier heb gevonden, hol ik door het huis terug naar Moeders kamer. Eerst mijn eigen computer, dan die van de anderen. Ik ga ze allemaal op mijn netbook aansluiten. De inhoud uploaden en met eigen ogen bekijken. Ik upload...

Halverwege de gang blijf ik staan. Ik zie de ogen van Vader voor me. De wanhopige blik van Moeder. Een donkere, afgesloten kast en een verstopte sleutel. *Uploaden.*

We hebben de code gekraakt.

De schroevendraaier glipt uit mijn vingers.

Daarvoor injecteert men nanobots zo groot als bloedcellen, soms zelfs zonder dat de betrokkene het weet.

Mijn voeten strompelen verder.

Denk maar aan een glazen bal die op je vingertopjes balanceert.

De muren zwaaien heen en weer. De deur van Moeders kamer duikt op.

Iemands geest is energie die de hersenen voortbrengen.

Ik grijp de deurpost van de kast beet om niet onderuit te gaan.

Je moet doorgaan, anders valt hij aan diggelen.

Ik staar naar de drie brommende computers.

Dus uploaden we die stukjes informatie naar een omgeving waar de energie kan blijven ronddraaien.

Correctie: omgevingen. Ik staar naar de drie brommende zwarte 'omgevingen'. Hels.

Schiet op, Jenna. Kom nou.

Ik kan het niet.

Ik loop achteruit weg.

Back-ups. Natuurlijk.

En dan ga ik ervandoor.

69

Dezelfde gedachten

De bosgrond is vochtig. De deken van eucalyptusbladeren ritselt onder me. Ik lig hier al uren naar de geluiden te luisteren. Veel zijn het er niet. Het ruisen van de bladeren als ik mijn hoofd draai of een been beweeg. Het zuchtende gekraak van takken en twijgjes als de wind ze verder doorbuigt dan ze zouden willen. Zo nu en dan het holle gekras van de ene raaf naar de andere. De vage, wanhopige roep van Claire: 'Jenna!' Ze snapt natuurlijk niet waar ik ben.

Ik houd mijn handen boven mijn hoofd, laat mijn vingers in een teer gebaar uitwaaieren en draai mijn handpalmen naar elkaar toe, warm en zacht. Het is echte huid. Echte beweging. De constructie luistert naar mijn neurochips. Als ik denk *klappen*, dan gehoorzamen mijn handen en galmt er verwoed geklap door het bos. Mijn hersenen. *Ik heb nog tien procent over.* De vlinder, noemde Moeder het. Mijn gevleugelde stukje menselijkheid. Hooguit een onsje. Als ik geloof in een ziel, is die dan weggevlogen met een handjevol glanzend weefsel? Klampt de ziel zich vast aan dat grote, overtollig geworden brok mens tot er niets meer over is? Als een ziel zich kan ophouden in een embryo zo groot als een vuist, waarom dan niet in een vuistvol hersencellen?

Ik vouw mijn hand dicht en stel me voor dat er een vlinder in is geland; ik voel het gefladder, het leven, en dan vertrek ik naar een droomwereld van slaap en herinneringen. Ik droom van vlinders met gouden vleugels, van rode rokjes, scheve taarten en Ethans mond op de mijne.

Als ik wakker word, is het zigzagpatroon van de stukjes lucht die zichtbaar zijn tussen het bladerdak veranderd van hemelsblauw in zwart. De boomtoppen zijn nauwelijks meer zichtbaar; slechts een smal reepje maan verlicht de randjes.

'Jenna!' Moeders zoekende stem in de verte is meelijwekkend.

Ik moet terug. Uiteindelijk. Maar niet voordat ik één ding begrijp: welke ik is de ware? De ik thuis in de kast of de ik hier op de bosgrond?

70

Back-up

Ze zitten op de veranda als ik het bos uit kom. Dat ik bij het wegrennen de achterdeur opengelaten heb, zal wel een aanwijzing zijn geweest voor mijn verblijfplaats. In een andere tijd had Moeder allang de politie gebeld, maar dat is nu geen optie meer. Moeder is de eerste die me ziet. Ze wil opstaan, maar Vader steekt zijn hand uit en ze gaat weer zitten. Lily nipt aan een glas wijn.

Als ik naar hen toe loop, voelt het alsof ik een etentje bij kaarslicht verstoor in plaats van een doodsbange wake. Lily geeft Moeder een schaal met gevulde champignons door. Ik voel een steek van ergernis door me heen gaan.

'Je bent een beetje laat, vind je ook niet?' zegt Vader langs zijn neus weg. Hij neemt een hapje kaas en spoelt het nonchalant weg met een slok wijn. Zijn ogen staan boos, glazig, maar zijn gedrag is beheerst.

'Valt wel mee,' antwoord ik.

'We kunnen zo niet doorgaan, Jenna,' flapt Moeder eruit.

Vader werpt haar een blik toe. Lily slaat haar ogen ten hemel.

'Welkom thuis, Vader,' zeg ik. Ik pak een champignon en steek hem in mijn mond voordat iemand me kan tegenhouden.

Ze staren me alle drie aan. De ongrijpbare Jenna Fox staat

weer eens in het middelpunt van de belangstelling. Waar zijn de camera's? Ik speel de scène met een overdreven buiging.

'Verdomme, Jenna!' Vader slaat met zijn hand op de glazen tafel; de borden rammelen. 'Je bent heus niet de eerste persoon op aarde die door een ongeluk invalide is geraakt!'

'Dat weet ik, vader.' Ik ga op de stoel tegenover hem zitten. 'Neem nou die drie mensen in de kast. In de zwarte computers. Die zijn pas echt invalide.'

Lily kreunt. 'Eén-nul.' En ze giet de rest van haar wijn naar binnen.

'Jenna, we moeten over dit soort dingen praten,' zegt Moeder. 'Je kunt niet zomaar bij ieder tegenslagje weglopen en ons ongerust maken.'

'Dit is geen tegenslagje. Jullie hebben het voor me verborgen gehouden.'

'Het zijn geen mensen,' zegt Vader.

'Neem nog een champignon,' zegt Lily, en ze houdt me de schaal voor.

'We hebben het niet voor je verborgen gehouden,' zegt Moeder.

'Hoor je me wel?'

'Achter een gesloten deur, dat noem ik verborgen houden.'

'Zal ik nog een fles openmaken?'

'Wat verwacht je dan, als jij je zo gedraagt?'

'Hou op!' roep ik. Ik kan dit warrige gesprek niet bijbenen.

'Ik maak er nog een open,' zegt Lily. Ze schuifelt het huis in, terwijl wij aan tafel blijven zitten en van de stilte gebruikmaken om ons te hergroeperen. Moeder strijkt haar haar van haar schouders en blaast naar de plukjes op haar voorhoofd. Door de van richting veranderde Santa Ana-wind is het ongewoon warm voor maart. Vader draait met zijn glas, plotseling zeer geïnteresseerd in zijn wijn; hij fronst zijn voorhoofd en de concentratie dringt de emoties naar de achtergrond. Ik zie dat hij zijn lippen op elkaar perst, en het is alsof er ergens in zijn binnenste een naad barst.

'Laten we bij het begin beginnen,' zegt Moeder zacht.

'Wat deed je in mijn kast?'

'Laten we wat dichter bij het begin beginnen,' zeg ik. 'Waarom staat er in jouw kast een computer met mijn naam erop?'

'Dat is een back-up, Jenna,' zegt Vader op zijn gebruikelijke geen-gelul-toon. 'We moesten de originele upload bewaren.'

Ik zie Vader amper als hij verdergaat met zijn uitleg. Ik kan alleen maar denken aan die donkere plek zonder dimensies, zonder diepte, warmte of kou; alleen maar onmetelijke hoeveelheden duisternis en eenzaamheid. Een andere Jenna is daar nog steeds.

'We hebben je al verteld dat dit onontgonnen terrein is. We verwachten niet dat er iets mis zal gaan, maar voor alle zekerheid hebben we een back-up bewaard. Maar die kan niet in een netwerk worden opgeslagen, dat is te riskant. Dus bewaren we de bio-omgeving volledig afgezonderd van alle netwerken en stroomvoorzieningen.'

Ik sta stil met mijn armen om me heen geslagen, loop rondjes, schud mijn hoofd.

'Jenna...'

'Waar zijn jullie mee bezig! Jullie hebben een andere *ik* in die omgeving opgesloten! En Kara en Locke!'

Vader schuift heen en weer in zijn stoel. Zijn schouders hangen ongemakkelijk naar beneden. 'Het is niet een andere jij of zij, en "opgesloten" is niet het juiste woord. Het zijn maar stukjes inform...'

'Het is de geest! Dat heb je zelf gezegd.'

'Maar wel een geest zonder zintuiglijke input. Dan krijg je een soort niemandsland, een droomwereld.'

'Neem maar van mij aan dat het bepaald geen droomwereld is. Verre van dat. Eerder een nachtmerrie.' Ik laat me terugvallen op de stoel en doe mijn ogen dicht.

'Jenna, het duurt pas kort,' zegt Claire. 'Geef ons de tijd om dit op te lossen. We zijn er zelf nog mee bezig. Dat is alles wat we van je vragen: geef ons de tijd.'

Ze luistert niet. Ze luisteren geen van beiden. Ze willen niet geloven dat de plek waar ik anderhalf jaar lang heb vertoefd iets anders was dan een soort dromerige wachtkamer. En tijd is juist het enige wat ik ze heb gegeven. Maanden. Jaren. Een leven lang hun kind. Komt er nog eens een tijd dat ik nee kan zeggen? Heb ik zelf wel tijd? Heb ik een back-up nodig omdat er iets mis kan gaan? Plotseling ben ik me bewust van mijn trillende handen en de bibbers in mijn been.

'Wat zou er mis kunnen gaan?' vraag ik. Het was nog niet bij me opgekomen dat ik in het niets zou kunnen opgaan, als een gecrashte computer, zonder zelfs maar gebruik te kunnen maken van mijn houdbaarheid van twee jaar. Die twee jaar komen me nu heel kostbaar voor – een heel leven. Ik wil niet... verdwijnen. Mijn binnenste verstrakt en ik voel me buiten adem. Buiten adem terwijl ik geen longen heb. Is dat om te lachen of om te janken?

Ik voel dat Vader mijn hand in de zijne neemt en ik open mijn ogen weer. 'We denken niet dat er iets mis zal gaan, engeltje van me. Maar we hebben geen langetermijngegevens voor een project van deze omvang. Bio Gel is pas acht jaar in gebruik en is alleen nog toegepast bij geïsoleerde orgaantransplantaties en nooit als volledig zenuwstelsel. Er zou een probleem kunnen ontstaan wanneer je eigen hersenweefsel "botst" met de Bio Gel: dan worden er seinen doorgegeven die min of meer het effect hebben van antistoffen, waarbij het een zal proberen het ander te overheersen. Dat is nog niet gebeurd en we verwachten het ook niet, maar voor dat soort scenario's bewaren we de back-ups. Voor alle zekerheid.'

Pling. Weg.

Ik wil niet in één *pling* verdwijnen. Allerlei beelden flitsen door me heen. De felle ogen van Ethan. De musjes bij meneer Bender. Allys' glimlach. Claire die haar armen naar me uitsteekt. Het bos en de lucht die me urenlang wisten te boeien. Nieuwe beelden van mijn nieuwe leven. Beelden die niet in mijn back-up voorkomen. Dat is een andere Jenna. Ik wil de Jenna behouden die ik nu ben.

'Zo, alsjeblieft.' Lily plant met een klap een nieuwe fles wijn op tafel en zet een extra glas voor mijn neus.

'Ben je gek geworden, Lily?' zegt Vader.

'Ze kan toch niet dronken worden.'

'Maar dan nog...'

'Laat maar, Matt,' zegt Moeder.

'Schenk maar in, Lily,' zeg ik, en ik hou mijn glas omhoog.

Ik word inderdaad niet dronken, maar ik krijg wel een warm gevoel vanbinnen. Hoe primitief mijn spijsverteringsstelsel ook mag zijn, kennelijk is het gebaar van Lily er wel aan besteed.

'Waarom zijn er ook back-ups van Kara en Locke?' vraag ik.

'Dat komt door mij.' Moeder masseert haar voorhoofd. Ze neemt nog een slok van haar wijn en kijkt uit over de vijver. 'We hadden jou al gescand. We waren hoopvol. Maar een paar dagen nadat we je hadden overgeplaatst, moest ik terug naar het ziekenhuis om je spullen op te halen en daar zag ik de ouders van Kara en Locke, en ik zag hoe vreselijk zwaar ze het hadden. Ik heb je vader gesmeekt om je vrienden ook te scannen, voor het geval ze het niet zouden halen.' Ze kijkt me met een zucht aan. 'En dat heeft hij gedaan.'

Ik schaam me als ik de pijn op het gezicht van Moeder zie, maar ik ben ook kwaad vanwege het ontbrekende littekentje op mijn kin, de verloren zes centimeter en het perspectief van waaruit ik de wereld nooit meer zal kunnen bekijken. Mijn boze ik wint het van de beschaamde. Per slot van rekening heb ik ook mijn rechten. *Jenna die overal recht op heeft*. Ik gooi er ook wat sarcasme doorheen, dan hebben we meteen alles gehad. 'En waar zijn hun spiksplinternieuwe lichamen?'

'Die zijn er niet,' zegt Vader. 'Vlak nadat ik hen had gescand, werd het politierapport van het ongeluk vrijgegeven. Hun ouders wilden niet meer met ons praten, laat staan dat we in de buurt van Kara en Locke mochten komen. Locke overleed een paar dagen later en we konden zelfs geen huidmonster van hem bemachtigen. Hij is gecremeerd. Kara ook. Zij was al overgebracht naar een rouwcentrum en we mochten niet bij haar. We hebben geen oorspronkelijk DNA van hen. Niets om mee te werken. Ze zullen nooit meer een nieuw lichaam krijgen.'

Ik voel een scherpe steek, alsof er met een scheermesje iets losgesneden wordt, iets wat nooit gehecht of teruggezet zal kunnen worden. Kara en Locke, voor altijd niet hier of helemaal weg. 'Hoe lang zijn jullie van plan ze te bewaren?'

'Dat weten we nog niet.'

'Zolang we kunnen.'

'Zolang de rechtszaak...'

'Oneindig.'

'In ieder geval tot...'

'Misschien komt er een tijd dat we hun scans kunnen gebruiken.'

'Voor het ongeluk. Het zou kunnen dat ze iets weten waar we wat aan hebben. We moeten ze bewaren zolang er een mogelijkheid is dat...'

'Als *getuigen*?' zeg ik. 'Jullie bewaren ze als *getuigen*?'

'Zij zijn het niet meer, Jenna. Het is slechts geüploade informatie.'

Was ik ook niet meer dan dat? Al die maanden waarin mijn gedachten opgepropt zaten in een wereld zonder vorm? Niet meer dan brokjes informatie? En als ik toen niet meer was dan dat, ben ik nu dan wél meer? De verpakking is alleen beter. Doet tien procent van het oorspronkelijke brein er wel echt toe? Mijn hele herseninhoud is gescand en geupload. Dat vlezige handjevol mensenhersenen lijkt eerder een sentimenteel aandenken. Of brengt het mijn mens-zijn echt op mysterieuze wijze over op de neurochips, op een manier die zelfs Vader niet begrijpt?

Het is maar geüploade informatie. Kara en Locke, voor eeuwig in die donkere wereld. Kan ik daarmee leven?

'Het kan ook zijn dat ze dingen weten die schadelijk voor me zijn,' zeg ik. Geen commentaar. We weten allemaal dat die mogelijkheid nooit aan het licht zou komen. Als Kara en Locke iets negatiefs te zeggen hadden over Jenna, zou dat nooit naar buiten komen. Zij tweeën zijn alleen bewaard gebleven voor het geval ze mij zouden kunnen helpen. Ik wil mijn glas bijvullen, maar Lily houdt me tegen.

'Je hebt genoeg gehad,' zegt ze.

Ik denk dat ze gelijk heeft.

Ik kijk naar Moeder. Haar blik schiet van Vader naar mij en weer terug, schichtig, als een vis aan een haakje. Weer gevangen tussen twee werelden. 'Het is voor jou, Jenna.' Nu is de cirkel rond. Zoals altijd.

'Iedereen moet een keer dood,' zeg ik.

Vader pakt de fles wijn. Hij houdt hem omhoog voor de kaars om te zien hoeveel er nog in zit. Schenkt de helft in Moeders glas en de rest in het zijne. Neemt op zijn gemak een slok.

'Nu niet meer,' zegt hij dan.

%N%

Woelen

Ik slaap niet.
Ik klamp me vast aan mijn bed.
De back-ups moeten verdwijnen.
Allemaal.
Mijn vingers klauwen in het beddengoed.
Ik wil slapen. Vergeten. Opgaan in de nacht.
Maar...
Wat als er iets misgaat?
Misschien heb ik ze nodig.
Het is maar informatie.
Niemandsland.
Droomwereld.
Dat is alles.
En als ik heel hard mijn best doe
kan ik misschien die donkere plek vergeten
waar
zij
wij
zijn.

72

Standpunt

Het is een zeldzame dag: Rae geeft les.

Op haar manier.

Ik ben moe. Maar ook onrustig. Ondanks mijn slapeloze nacht mocht ik vandaag niet thuisblijven. Vader en Moeder hebben een verknipt beeld van wat normaal is. 'Je wilde zelf naar school, dus dan ga je ook. Het zal je goeddoen.'

We kijken naar *Net News*, waar een zitting van het Congres wordt uitgezonden. Er is een senator aan het woord. Het is de langste obstructie aller tijden. Senator Harris verbreekt het record dat senator Strom Thurmond in 1957 heeft gevestigd. Nooit eerder is iemand zo lang van stof – of zo gedreven – geweest. Zijn monotone betoog duurt nu al vijfentwintig uur en tweeëndertig minuten; een uur en veertien minuten langer dan het record van Thurmond. Hiervoor heeft Rae de les overgenomen. Zelfs Mitch zit in het lokaal. Ze knikt en zucht al net zo hard als Rae, dus er is geen twijfel mogelijk: dit is inderdaad een historisch moment.

Ik zit tussen Ethan en Allys in, gespitst op hun aanwezigheid vlak naast me. Het liefst zou ik me naar hen toe buigen om het ene moment iets in Ethans oor te fluisteren en het volgende moment mijn vingers te vervlechten met die van Allys. Ik wil helemaal niet naar de senator luisteren. Ik wil mijn plek in hun wereld vaststellen in plaats van te probe-

ren iets te begrijpen van de definities die de senator uit-
braakt over zijn eigen wereld. Op dit moment voel ik de
overbelasting – alsof ik in tweeën zou kunnen splijten, met
aan de ene kant de behoefte aan vriendschap en aan de andere kant de behoefte aan liefde. Dat zijn de definities die ik
moet aanscherpen.

Dane zit achter me. Ik voel zijn getik tegen mijn stoel. *Tik.*
Tik. Ik ben hier. Ik ben hier. Ik ben alles. Let op. En de senator zwetst maar door. Rae straalt. Ze geniet. Historisch moment. Let op. *Tik. Tik.* Allys. Ethan. Ja.

Mijn wereld is ingewikkeld. Mensen. Politiek. Ikzelf. De regels van dat alles. Een poging het te begrijpen. Het is alsof ik
in een tijdelijke schemertoestand verkeer, alsof ik met dronken vingers een instrument moet bespelen. Spelen, Jenna.
Luisteren. De senator glimt. Ik let meer op de zweetdruppels
en de zakdoek dan op zijn woorden. Nu, medeburgers. Nu.
Voordat het te laat is. Ik heb meer aandacht voor Allys dan
voor de senator. Ze zit voorovergebogen in haar stoel. Ze
knikt. Ja. Ik kijk naar rechts. Naar Ethan. Hij deinst achteruit. Nee. Nee.

En Dane tikt maar door.

Tikt.

Vindt Allys me leuk? Zou ze me leuk vinden als ze het wist?

De senator wist zijn voorhoofd. Goeie god, hij huilt. Gaan
we het echt zo spelen? Beste medewetgevers. Geachte senatoren. Kunnen we die gok wagen?

Hij haalt diep adem. Een zucht. Een pauze.

Er klinkt gejuich. Applaus. Slechts licht geklap van de
senatoren die nog aanwezig en wakker zijn. Het gejuich
kwam van Allys. Ik weet niet precies waarvoor ze juicht,
want het afgelopen uur heb ik me laten opslokken door een
behoefte die anders is dan die van Rae, Allys of de senator,
en ik sta helemaal alleen in die behoefte en er is niemand die

het begrijpt. Het voelt niet meer zo baanbrekend om ergens 'de eerste' in te zijn.

'Schitterend!'

'Historisch!'

'Saai.' Dat laatste komt natuurlijk van Dane.

'Vijfentwintig uur en zesenveertig minuten!'

Ik had moeten opletten. Als iemand meer dan vijfentwintig uur praat, moet het wel belangrijk zijn. Ertoe doen. Het is belangrijk voor Allys.

'Zal het wat uitmaken?' vraagt Allys aan Rae.

'Natuurlijk. Misschien niet op een manier die je zou verwachten, maar de mensen zullen het niet vergeten. Iedere spreker laat een indruk na.'

'Vooral een die zo lang heeft gepraat,' voegt Mitch eraan toe.

'Maar op wie zullen de mensen gaan stemmen?' vraagt Allys.

'Dat moeten we afwachten,' antwoordt Rae.

'Stemmen, waarvoor?' vraag ik.

Allys trekt haar wenkbrauwen op. Ik heb niet opgelet en het kwetst haar dat iets wat zo belangrijk voor haar is mij kennelijk ontgaat. Ik probeer het goed te maken door me alsnog op Rae's uitleg te concentreren.

'Er is een wetsvoorstel ingediend,' legt Rae uit, 'en senator Harris probeerde zijn medesenatoren ervan te overtuigen dat ze tegen moeten stemmen. Door zo lang aan het woord te blijven, hoopt hij de oppositie genoeg tijd te geven om met goede tegenargumenten te komen en daarmee de anderen over te halen.'

'Om wat voor wetsvoorstel gaat het?' vraag ik.

Ethan legt zijn hoofd op zijn bureau en sluit zijn ogen terwijl Rae antwoord geeft.

'Het gaat om de Wet Medische Toegang, die alle medische

beslissingen en afwegingen weer in handen geeft van arts en patiënt. Daarmee komt de FCWE volledig buitenspel te staan.'

'En dat vindt hij ongunstig?'

'Heb je niet geluisterd, Jenna? Natuurlijk is dat ongunstig!' Allys doet geen moeite om haar teleurstelling in mij te verbergen. 'Als de FCWE vijftig jaar geleden had bestaan, had ik nu misschien niet met al die schroeven en moeren in mijn lijf gezeten. Dan hadden mijn tenen misschien nog aangevoeld als tenen in plaats van gevoelloze worstjes! En het gaat niet alleen om mij. Neem nu de aureusepidemie en de miljoenen mensen die daar mogelijk niet aan hadden hoeven sterven. En nu probeert het Congres de macht van de FCWE in te dammen? Nog even en ze willen de commissie ook uit alle onderzoekslaboratoria bannen! Laat God ons bijstaan als dat gebeurt.'

'Maar...' zegt Mitch, 'het tegenargument luidt dat de FCWE een bureaucratische geldverslinder is die vaak levensreddende maatregelen tegenhoudt.'

'De technische en farmaceutische industrie zitten erachter,' zegt Allys, zonder acht te slaan op Mitch' opmerking. 'Die hebben als gekken gelobbyd. Bedrijven als Scribtech, MedWay en vooral Fox BioSystems...' *Klik.* Allys aarzelt een fractie van een seconde en haar ogen flitsen naar mij voordat ze haar zin afmaakt. Een milliseconde misschien, en het valt niemand anders op. '... hebben er miljarden tegenaan gegooid om deze wet erdoor te krijgen.'

En bij die laatste zin gaat ze weer zitten. Ze is opeens uitgepraat over het wetsvoorstel. Rae gaat verder met de les en probeert ons onze mening te ontlokken, maar er is een onverwachte deken over ons neergedaald. Mitch stapt op. Rae zet het net uit en zegt dat we na de middagpauze verdergaan. Misschien dat een hapje eten ons goeddoet.

We lopen naar de supermarkt aan de overkant en gaan aan ons gebruikelijke tafeltje in het eetgedeelte zitten. Het valt me op dat Allys' gezicht klam is en vaalgeel ziet, terwijl haar handen hun koele, zachte protheseaanblik en kleur behouden. Als ze haar pillen inneemt, lijken ze door haar keel te kruipen. Ze neemt nog een slok water om ze een handje te helpen, en dan nog een. Ze staart me aan. Ik staar terug. Ze eet met muizenhapjes en schuift dan haar boterham weg. Ethan kijkt van haar naar mij; zijn wiebelende been laat het tafeltje rammelen.

'Jij bent Jenna Fox, hè?' zegt ze uiteindelijk.

'Briljant van je,' zegt Ethan net iets te snel. 'Goh, hoe ben je dáár nou achter gekomen?'

'Probeer het maar niet voor me op te vangen, Ethan,' zeg ik. Zijn been stopt met wiebelen en hij haalt diep adem, smekend.

Allys schudt haar hoofd. 'Alles valt op z'n plaats. De meeste mensen houden zich niet met dat soort nieuws bezig, maar omdat ik bij de taakgroep Ethiek zit, krijg ik het allemaal te horen. Ik kan me nog iets herinneren over een dochter,' zegt ze. 'Ik had het al moeten snappen toen je vertelde dat je een ongeluk hebt gehad. Jij bent de dochter van Matthew Fox.'

'Zou dat me tot de vijand maken?' vraag ik.

'Nee...'

'Maar?'

Ethan schudt heel licht zijn hoofd. 'Jenna,' fluistert hij.

'Ze zeiden dat zijn dochter een ongeluk had gehad. Een waarvan de meeste artsen zich niet konden voorstellen dat ze het had kunnen overleven.'

'Althans niet binnen het huidige puntensysteem van de FCWE, bedoel je?'

'Precies.'

240

'Nou, misschien ben ik het dan toch niet. De naam Jenna Fox komt wel meer voor.'

'Zou kunnen,' zegt ze. 'Want als je het wel was, zou dat betekenen...' Ze maakt de zin niet af en laat opzettelijk een gat ontstaan waar wij in kunnen vallen. Ik doorzie het. Ethan niet.

'Wat dan?' zegt hij fel. 'Ren jij dan naar dat stelletje bureaucraten van de FCWE om haar aan te geven?'

Allys leunt achterover in haar stoel. Ze knijpt haar ogen tot spleetjes en kijkt eerst naar mij en dan naar Ethan. Ze trekt haar prothesearm los en wrijft over de stomp. Die is rood, met lelijke littekens. 'Dan schat je me te hoog in, Ethan. Ik kan niet naar de commissie rennen. Hooguit hobbelen. Dat lijkt me duidelijk, of niet soms?'

Ze zet de prothesearm weer op de stomp en trekt een pijnlijk gezicht als het magnetische veld zijn werk doet en hem vastzuigt. Dan test ze haar vingers, een voor een. 'Ik geloof dat ik het al begin te vergeten. Hoe ze vroeger voelden. Dat vind ik een eng idee, wat de wetenschap met je kan doen.' Ze schuift haar boterham nog verder bij zich vandaan. 'Tegelijk met mijn vingers ben ik ook mijn eetlust kwijtgeraakt.' Ze staat op. Ethan en ik houden haar geen van beiden tegen als ze wegloopt.

Ik steek mijn vingers omhoog, in silhouet tegen het zonlicht dat door het raam naar binnen valt. Ik test ze zoals Allys de hare testte. Een voor een. Verpakking.

73

Misschien

'Ze gaat het vertellen.'

Ethan trekt me naar zich toe. We staan achter de supermarkt, tot aan onze knieën in het hoge gras, omringd door vergeten picknicktafels en vuilnisbakken. Hij heeft me met zich meegetrokken toen ik begon te huilen, met achterlating van zijn lunch en de nieuwsgierige blikken van andere klanten.

Ik voel zijn armen die mijn rug strelen en zijn handen die hun greep om mijn middel verstevigen, zijn adem, zijn geur, mijn tong warm tegen de zijne, en in mijn binnenste roert zich iets wat maakt dat mijn tong nog meer druk uitoefent. Heb ik dit soort dingen ooit eerder gevoeld? Maakt dat wat uit? Onze zoen heeft iets wanhopigs.

Ik begin weer te snikken. Hevig, als een beest. Ethan drukt me stevig tegen zich aan, alsof hij de plaaggeesten kan wegdrukken. Ik maak me van hem los. 'Waarom neem je het voor me op, Ethan? Je kent me niet eens.'

Hij laat mijn middel los. Doet zijn ogen dicht en schudt zijn hoofd.

'Ethan,' fluister ik.

'Ik weet het niet, Jenna.' Zijn ogen worden weer groot. Glazig. 'Ik... ik voel iets. Telkens wanneer ik naar je kijk. Vraag me niet om het te verklaren. Moet er dan voor alles een keurige verklaring zijn?'

'Ik ben niet zoals andere meisjes.'

'Dat weet ik.'

'Ethan.' Ik neem zijn gezicht in mijn handen. 'Dat weet je niét. Ik ben niet zomaar anders, ik ben...'

'Misschien is dat wat ik zie als ik naar je kijk, Jenna. Iemand die er nooit meer helemaal bij zal horen, niet zoals voorheen. Iemand zoals ik. Iemand met een verleden dat haar toekomst voorgoed heeft veranderd.'

'Of misschien beschouw je mij gewoon als een tweede kans. Je broer heb je niet kunnen redden, maar misschien lukt het met Jenna wel. Gerechtigheid. Is het je daarom te doen?'

Hij loopt bij me vandaan en trapt tegen de loszittende poot van een picknicktafel, die op z'n kant zakt. Dan draait hij zich met een ruk om. 'Of misschien ben ik een masochist en hou ik van meisjes die bloedirritant zijn! Probeer me niet te analyseren, Jenna. Ik ben zoals ik ben.'

En ik ben ook zoals ik ben. Ik heb alleen behoefte aan een definitie van wat dat is.

Jenna 1. lafaard 2. mogelijk een mens 3. mogelijk ook niet 4. beslist illegaal

'Laten we nou geen ruzie maken.' Ethan komt achter me staan en legt zijn handen op mijn schouders. 'Waarom moest je huilen, daarnet aan tafel? Ben je bang? We gaan met Allys praten. Ze verandert wel van gedachten.'

'Ik ben niet bang, Ethan.' In ieder geval niet voor Allys. Ik ben bang voor mijn eigen gedachten, mijn gevoelens, ik ben bang als ik mijn vingers voor een zonnig raam zie, voor de schokkende opluchting die daarmee gepaard gaat terwijl ik me zou moeten schamen. Ik ben bang dat ik me springlevend zal voelen en dankbaar zal zijn. Bang dat ik me weer de speciale wonder-Jenna van vroeger zal voelen, terwijl er

in de kast computers staan met daarin opgesloten de gees-
ten van mensen die nooit meer vingers of zonlicht zullen
zien. En ik ben ook bang om ze te laten gaan, want misschien heb ik ze nog nodig. Ik ben bang voor honderd dingen, ook voor jou, Ethan, want alles in de hele kosmos zegt
dat het niet hoort en niet mag, maar dat weerhoudt me er
niet van het te willen.

En ik ben bang dat ik iets zal worden wat de oude Jenna
nooit is geweest, en dat tien procent misschien toch niet genoeg is. Ik ben bang voor Dane en bang dat datgene waarvan ze zeggen dat het bij hem ontbreekt, hetzelfde is wat
Vader bij mij heeft weggelaten, en dat senator Harris groot
gelijk heeft en Vader ongelijk. Ik ben bang dat ik nooit meer
vrienden zoals Kara en Locke zal krijgen en dat is allemaal
mijn eigen schuld. Ik ben bang dat ik voor de rest van mijn
twee of tweehonderd jaar met al deze vragen zal blijven zitten en dat ik altijd een buitenbeentje zal blijven.

En ik ben bang dat Claire en Matthew Fox tot de ont-
dekking zullen komen dat de spiksplinternieuwe Jenna Fox
toch niet evenveel te bieden heeft als drie kinderen bij elkaar, dat dat nooit het geval is geweest, dat ze voor niets
alles op het spel gezet hebben. Want uiteindelijk ben ik helemaal niet zo bijzonder.

Dat zijn de dingen waar ik bang voor ben.

Maar ik ben niet bang voor Allys.

'Ze heeft gezegd dat ze me mag,' zeg ik tegen hem. 'Ze ver-
raadt me niet.'

'Ik zag anders haar ogen...'

Ik draai me om en leg mijn hoofd tegen zijn borst. Luister
naar zijn hartslag. Een echte hartslag.

'We moeten met haar praten. Binnenkort,' zegt hij.

74

Binnenglippen

Allys is de volgende dag niet op school. En de dag erna ook niet. Moet ik me zorgen maken?

Ik spits mijn oren. Hoor ik geklop op de deur? Voetstappen? Sirenes die me opsporen?

Als Vader en Moeder weg zijn en Lily in de kas aan het werk is, dan luister ik. Ik wacht tot de stilte doorbroken zal worden.

Ik wacht op krakende traptreden en vraag me af hoe het zal zijn om weer gevangen te zitten. En wanneer de stilte lang aanhoudt en ik begin te geloven dat hij er altijd zal zijn, als er een piepklein deurtje opengaat en ik probeer binnen te glippen naar die plek die ze normaal noemen, wordt de stilte weer verbroken.

Niet door voetstappen. Door een stem.

Schiet op, Jenna.

Een duidelijke, heldere stem. Niet de stem van mijn verleden. Niet de stem uit een droom. De stem van nu.

Er vliegen geen sleutels door de lucht. Ik zie geen flitsen van een avond die me nog altijd ontglipt maar me wel voorgoed heeft veranderd. Geen herinneringen of haastig gesproken woorden. Het zijn verse woorden, die op de een of andere manier door mijn schedel kruipen tot ik het gevoel heb dat ik gek ben.

We hebben je nodig. Nu.

75

Vergelijkbaar

Ik banjer door ons eucalyptusbos en laat mijn voeten zwaar neerkomen op de kromme stukken schors en takjes. Het knappen en kraken, de geluiden waarop ik invloed heb, omhullen me als een schild. Ik schop tegen de geweven mat van bladeren aan mijn voeten en woel daarmee maanden en jaren van verrotting om; torretjes zoeken haastig dekking. De stemmen zijn zacht. Ik vertraag mijn pas. Is het mijn schuldgevoel dat hier spreekt? Of heeft Vader niet overzien waartoe zijn geknoei zou kunnen leiden? Ik hoor het ruisen van het riviertje onder aan de helling, en dichterbij geritsel van iets anders. Vogels?

Het bos is niet inheems. Import, volgens Lily. Rond de vorige eeuwwisseling meende iemand zijn fortuin te kunnen maken met hout voor spoorbielzen. Uiteindelijk bleek het hout te hard om te verwerken als het eenmaal droog was, en de bossen bleven ongebruikt achter. Ze breidden zich vanzelf uit en roeiden soms de inheemse plantensoorten uit. Lily is daar niet blij mee. Oorspronkelijk, inheems, puur: dat zijn de woorden die voor haar belangrijk zijn. En voor Allys ook.

Ik kijk naar de bomen die hier niet thuishoren, die buiten hun schuld hier terechtgekomen zijn. De bast is fluwelig, vlekkerig en zacht, en de geur is doordringend. De bladeren, gladde reepjes zilvergroen, creëren een dik, kanten tapijt op de bosgrond. Mooi maar ongewenst. Wat hebben ze verdreven dat mooier of belangrijker was?

Ik ga met gespreide armen tussen twee bomen staan en druk mijn handen tegen de stammen. Ik adem langzaam in en doe mijn ogen dicht, op zoek naar meer dan hun bast, takken en tweederangsstatus op deze heuvels, op zoek naar zoiets als hun ziel.

Krak!

Knerp!

Mijn ogen vliegen open.

Pijn grijpt me bij mijn pols.

'Dane!' Ik probeer me los te rukken, maar hij houdt me stevig vast en knijpt nog harder, turend naar mijn gezicht in afwachting van een reactie.

'Laat los,' zeg ik.

Zijn blik is niet langer leeg; zijn gezicht straalt nu wel degelijk iets uit. Het is de eerste keer dat ik zijn ogen helder en betrokken zie, alsof hij zojuist is ingeschakeld of aangesloten. Hij glimlacht niet.

'Laten we een eindje gaan wandelen,' zegt hij.

'Ik ga met jou niet wandelen, Dane.'

'Waarom niet? Heb je liever gevaarlijke jongens zoals Ethan? Ik kan ook gevaarlijk zijn, hoor.' Hij trekt me dichter naar zich toe en ademt zwaar.

Ik voel zijn vingers in mijn huid drukken. Zijn blauwe ogen zijn nu felle speldenknopjes, als van een dier, gedreven door adrenaline, hongerig op zoek naar niets minder dan vernietiging, verstoken van enige persoonlijkheid. Dane, helemaal van vlees en bloed, maar honderd procent niets.

'Lang niet zo gevaarlijk als ik. Ik ben weg.' Ik probeer me los te trekken.

'Ik zei: Laten we een eindje gaan wandelen,' zegt hij nadrukkelijk, en hij trekt me weer dichter naar zich toe.

'Liever niet,' antwoord ik, en mijn vrije hand haalt uit naar zijn kruis. Goed gemikt, en mijn greep is net zo stevig als de zijne. Hij zet grote ogen op. Zijn vingers omklemmen mijn pols nog steviger. Mijn vingers doen hetzelfde met zijn kruis. Hij knippert wild met zijn ogen en zijn gezicht wordt rood.

'Ik mag dan raar lopen, Dane, volgens Ethan heb ik wel het uithoudingsvermogen van een paard. Ik kan hier de hele dag zo blijven staan. Hou jij dat ook vol?'

Hij doet een laatste poging en draait mijn pols om. De pijn schiet door mijn arm. Als reactie knijpt mijn andere hand ongekend hard. Dane gilt het uit en laat mijn pols los. Ik trek mijn hand terug en Dane zakt kreunend op zijn knieën. Als ik op hem neerkijk, voel ik afkeer, walging en zelfs medelijden. En dan iets onverwachts: dankbaarheid. Hij heeft me laten zien hoe leeg een honderd-procent-mens kan zijn. Percentages kunnen bedrieglijk zijn.

Zijn gezicht trilt en zijn koude, scherpe ogen kijken naar me op terwijl hij nog steeds op adem probeert te komen. Ik weet dat ik maar een paar seconden heb voordat hij zich weer op me zal storten.

'Jenna, daar ben je! Zullen we onze wandeling voortzetten?'

Meneer Bender komt door het bos aangelopen en toont opzichtig zijn golfclub: hij zwaait ermee heen en weer in plaats van hem te gebruiken als wandelstok om op de heuvel zijn evenwicht te bewaren.

'Goed,' zeg ik, en ik laat Dane achter met de vraag hoeveel erger een golfclub in zijn schedel zou zijn dan mijn hand in zijn kruis. 'Ander keertje, Dane.'

Meneer Bender en ik lopen heuvelafwaarts naar het beekje, waar een boomstam in het water als bruggetje dient. 'Ik was in de tuin en zag je het bos in lopen,' zegt hij. 'Toen ik even later Dane achter je aan zag gaan, heb ik mijn club gepakt.'

'Dank u wel. Door de combinatie van uw golfclub en mijn stevige greep zal hij nu wel maken dat hij wegkomt.' We lopen het bos uit, het pad op naar zijn huis.

'Je moet niet in je eentje de bossen in gaan. Niet alleen vanwege die jongen, maar er zitten hier ook weleens poema's.'

Ik houd halt en kijk hem aan. 'Wat maakt het uit, meneer Bender... of moet ik Edward zeggen? We weten allebei dat ik net zo makkelijk te vervangen ben als een kapot netbook. Dat is het handige van back-ups.'

Hij kijkt bijna net zo geschrokken als Dane een paar minuten geleden. 'Hoe ben je erachter gekomen?' vraagt hij dan.

'Van de back-ups of van u?'

'Allebei.'

'Ik heb vijfhonderd miljard neurochips, meneer Bender, dus zo moeilijk was het niet. Maar dat zal Vader u al wel verteld hebben.'

Meneer Bender knikt en kijkt naar de grond. Hij zou zich niet moeten schamen; hij was al een vriend van Vader voordat hij mijn vriend werd. Ik loopt weer door. 'Als je vijf keer zoveel hersencapaciteit krijgt, is het waarschijnlijk niet meer dan een kwestie van tijd voordat je er gebruik van gaat maken.' Er zijn details van de twee jaar oude Jenna bij me naar boven gekomen nadat ik de gehavende turkooizen auto bij meneer Bender in de garage had zien staan. 'Uiteindelijk herinnerde ik me een oude foto die bij ons thuis hing toen ik nog een peuter was. Vader met zijn eerste auto. De turkooizen auto die hij later aan u heeft gegeven.'

Het zijn maar kleine vergissingen, want zulke herinneringen verwacht je niet van een tweejarige, maar mijn geheugen doet niet aan differentiatie – twee dagen, twee jaar of tien jaar, ze tellen allemaal even zwaar en zijn even intens.

'Ik heb alleen het huis voor hem gevonden. Hij had zoveel

voor me gedaan. Maar ik weet niet zoveel als je misschien denkt. Je vader heeft me erg weinig verteld.'

'Om u te sparen, waarschijnlijk. Hoe minder u weet, hoe minder schuldig u bent, nietwaar?'

Hij geeft geen antwoord.

'Dus u hebt al die jaren contact met hem gehouden?'

'In het begin niet, maar na een paar jaar... Ik had die connectie nodig. Iemand die me van vroeger kent, zodat de rest van mijn leven niet werd uitgevlakt. Je identiteit achterlaten is pijnlijker dan de meeste mensen zich kunnen voorstellen. Het komt er eigenlijk op neer dat je gewist bent, uitgevlakt. Ik weet dat dat onzin is, maar toen ik eindelijk contact opnam met je vader luisterde hij naar me, en hij begreep me. Hij stond altijd voor me klaar: ik kreeg zijn auto toen ik weg moest en hij was er wanneer ik behoefte had om te praten.'

'Praat u vaak met hem?'

'Misschien één keer per jaar of zo. Niet zo vaak. En dan moeten we erg voorzichtig zijn. Hij belde me toen je gewond was geraakt. Hij werd gek van verdriet. En een paar dagen later belde hij weer. Hij brabbelde maar wat, het was eerder hardop denken. Eerst dacht ik dat hij dronken was. Hij praatte eigenlijk meer tegen zichzelf dan tegen mij, maar ik denk dat hij een luisterend oor nodig had. Hij zei dat hij wist dat hij je zou kwijtraken als hij niet iets... drastisch zou doen. Hij heeft me niet verteld wat dat was. Hij hing op en daarna hoorde ik niets meer van hem, totdat hij belde om te zeggen dat hij een afgelegen huis zocht.'

'Dus dat was uw rol: makelaar op afstand.' Ineens, door de manier waarop hij zijn hoofd een beetje schuin houdt en aarzelend knikt, moet ik weer denken aan de woorden van Lily. 'O ja, en u vormde de helft van het afvoerteam,' voeg ik eraan toe.

'Afvoerteam?'

'Om mij met de noorderzon te laten vertrekken.'

Hij glimlacht. 'Juist. Ik maak deel uit van het noodplan. Je vader zei dat hij je liever hier houdt, want hier kan hij gemakkelijk medische hulp krijgen als er iets misgaat, maar mochten de autoriteiten erachter komen, dan brengt je oma je naar mijn huis. Van daaruit neem ik jullie dan allebei mee naar een landingsbaan niet ver hiervandaan. Het is maar even vliegen naar Mexico, waar weer een andere kleine landingsbaan ligt. En van daaruit zouden jullie dan naar Italië vliegen. Daar zijn de wetten rond transplantatie minder streng.'

'En voor hersenuploads? Kunnen de Italianen soms niet tellen?'

Hij zwijgt, en dat opent de deur voor wat er in me borrelt en wil ontsnappen.

'Om het makkelijker te maken en jullie allemaal tijd te besparen, kunnen mijn ouders mijn back-up ook gewoon met de post versturen. Als de pakketdienst me in Italië bezorgt, is dat waarschijnlijk goedkoper en hebben ze minder kopzorgen. Als ze echt uit de band willen springen, maken ze er een spoedvrachtje per koerier van. Of ze kunnen ook...'

De toenemende waanzin in mijn stem maakt dat ik mijn tirade wil staken.

'Ga even zitten,' zegt meneer Bender. 'Dan kunnen we praten.'

Ik knik en loop met hem mee de heuvel af naar zijn huis, waar we op twee stoelen op de achterveranda gaan zitten, met uitzicht op de vijver en aan de overkant mijn eigen huis.

'Wat is er met Dane aan de hand, meneer Bender? Volgens mijn vriendin Allys ontbreekt er iets aan hem.'

'Ik weet het niet precies, Jenna, maar je vriendin zou wel eens gelijk kunnen hebben. Het enige wat ik weet, is dat hij altijd voor problemen zorgt.'

'Hij is tenminste wél legaal.'

Meneer Bender schuift zijn stoel wat dichter naar me toe en buigt zich naar voren. 'Luister, Jenna, er zijn verschillende soorten wetten en regels. Sommige zijn vastgelegd in boeken en andere zitten hier.' Hij klopt op zijn borst. 'Dane mag zich dan aan de geschreven wetten houden, hierbinnen zit bij hem niks.'

Maar hoe komt het daar normaal gesproken?

Ik kijk naar hem; zijn hand rust nog op zijn borst. Hoe komen die 'wetten' in je binnenste? Word je ermee geboren? Leer je ze? Kun je ze er door een chirurg met zorgvuldige steekjes in laten zetten?

'Wat ziet u als u naar mij kijkt, meneer Bender? Wat ziet u écht?'

Ik let op zijn ogen, die mijn huid, mijn gezicht en mijn blik opnemen. Ik zie hem stilstaan bij ieder trekje, elke knippering met mijn ogen. Ik zie al zijn misstappen, de leugens die hij overweegt, iedere terugkeer naar de waarheid. Het is een grens die hij vaak overschrijdt, en soms versmelten leugen en waarheid tot iets anders. Zijn tong glijdt over zijn lippen. Hij knippert met zijn ogen.

Waarheid. Leugen. Waarheid. Iets anders. Verwarring over de vraag wat ik ben?

'Toe nou,' zeg ik.

'Als ik naar je kijk, zie ik een heleboel dingen die ingewikkeld liggen, Jenna. Een vreselijke ommekeer, een tweede kans, hoop...'

Ik spring op en maai met mijn armen door de lucht. 'Hoop waarop, meneer Bender? Een leven waarin ik nooit meer kan zijn wat ik vroeger was, waarin ik zelfs niet kan zijn wat ik nú ben zonder me te verstoppen? Het is te zwaar voor me.'

'Jenna.' Hij blijft stilstaan en pakt me bij mijn schouders.

'Ik vind het heel erg wat je moet doormaken. Ik weet dat het moeilijk is. Geloof me maar, niemand weet zo goed als ik hoe zwaar het is om opnieuw te beginnen. Ik denk dat ik je daarom van het begin af aan wilde helpen, terwijl ik het misschien beter niet had kunnen doen. Als ik naar je keek, zag ik de bange tiener die ik zelf ooit ben geweest.'

Hij laat mijn schouders los, maar ik blijf hem strak aankijken. Meneer Bender is net zo oud als mijn vader, maar ik zie iets in hem dat even jong is als ik. Laten bepaalde gebeurtenissen in ons leven blijvende sporen na? Leggen ze een deel van ons vast in de tijd, een deel dat de toetssteen wordt waaraan we de rest van ons leven afmeten?

Ik voel mijn vuisten verslappen en mijn gewrichten ontspannen. 'Ik denk dat ik geluk heb gehad dat u mijn eerste vriend was, meneer Bender.'

'Je eerste?'

'Inderdaad. Jenna's eerste vriend NR.'

Hij trekt zijn wenkbrauwen op.

'Na de Ramp.'

Hij lacht zijn curieuze-meneer-Bender-lach en stelt dan voor om een wandelingetje door de tuin te maken.

We komen bij de ronde open plek waar hij de vogels voert. 'Hier,' zegt hij, en hij trekt zijn jasje uit. 'Ik leen de identiteit van Clayton Bender nu al dertig jaar, laat me die nu even met je delen.' Hij slaat het jasje om mijn schouders, pakt mijn handpalm en wrijft er met zijn vlakke hand overheen. 'Vogels blijken een beter reukvermogen te hebben dan de meeste mensen altijd hebben gedacht.'

We gaan op het omgevallen-boomstambankje zitten en hij strooit vogelzaad op mijn hand. Al is het maar heel even, een musje strijkt erop neer en vliegt weg met een snavel vol zaadjes.

'Zie je wel? Nu zijn ze aan je gewend. De volgende keer heb je mij niet meer nodig.'

Ik bedenk dat sommige definities niet kloppen, zelfs niet al staan ze in een woordenboek. Een identiteit is niet altijd onafhankelijk en afzonderlijk. Soms is ze wel degelijk verweven met anderen. Soms, een paar minuutjes, kun je je identiteit zelfs delen met anderen. En ik ben benieuwd of de vogels, als ik ooit het geluk heb om terug te keren naar de tuin van meneer Bender, dat stukje van hem zullen zien dat met mij is verweven.

76

Luisteren

De stilte
duisternis
niets
alsjeblieft
laat ons gaan
help ons
 Jenna.
  We hebben je nodig.
   Schiet op, Jenna.
    We hebben je nodig.

Gegil. Ik hoor gegil. Mijn eigen gegil. Dat van hen.

Maar niemand kan het horen. Het is zo'n donkere plek dat niemand het kan horen. Behalve ik. 'Help! Alsjeblieft! Help ons toch!'

'Jenna! Wakker worden!'

Vader houdt me in zijn armen. Moeder zit aan het voeteneind. Ik ben weer op een plek van licht en gevoel. 'Je lag te dromen,' zegt Vader, en hij drukt me tegen zich aan.

'Nee,' zeg ik. 'Ik lag te...' *Onmogelijk*. Vader heeft een gerimpeld, vermoeid gezicht. Angstig. Moeder zit kaarsrecht, afwachtend. Haar haar is net een vogelnestje.

'Wat dan, Jenna?'

'Ik lag te... te luisteren.'

'Waarnaar, lieverd?' vraagt Moeder.

'Naar Kara en Locke. Ze roepen me. Ik hoorde hun stemmen.'

Vader strijkt mijn haar uit mijn gezicht en streelt mijn wang. 'Dat is onmogelijk, mijn engeltje. Je droomde, meer niet.'

Ik ga er niet tegenin. Dat zou geen zin hebben. Maar ik heb de stemmen niet gedroomd. Ik hoorde ze echt. Vers, nu. Op de een of andere manier hebben ze me gevonden. Ze hebben me nodig.

In de flits tussen donker en licht, tussen droomwereld en werkelijkheid, ga ik een grens over. Ik herinner me het ongeluk. En nu weet ik dat ik ze nooit kan laten gaan.

77

Het ongeluk

Ieder detail. Scherp als klauwen.

Het lag niet aan de Bio Gel, de zoekende neurochips of een van de tekortkomingen van mijn nieuwe ik. Het kwam door mezelf. De rouwende Jenna. De geschokte Jenna. Jenna in de ontkenningsfase. Maar nu dwingen Kara en Locke me om het me te herinneren.

Ik zit in het donker op mijn bed, waar schuin vanaf de overloop een reepje licht op valt. Ik luister naar mijn licht piepende borstkas; de lucht die binnenkomt en ontsnapt. Ademhalen. Een nieuw soort ademhalen. Door die ene avond.

Sleutels die door de lucht vliegen.

Mijn vingers uitgestoken.

Mijn vingers góóiden de sleutels. Ze vingen ze niet.

'Locke, ik kan niet rijden,' zei ik.

'Jij bent de enige met een auto,' klaagde hij.

'Als je niet rijdt, Jenna, dan gaan we niet,' voegde Kara eraan toe. 'We hebben je nodig!'

'Ik ga niet rijden zonder rijbewijs. Bovendien zijn mijn stemcommando's nog niet ingeprogrammeerd in de auto. Ik zou hem niet eens kunnen starten.'

'Kara kan toch rijden?' zei Locke. 'En starten is geen probleem, dat systeem kun je uitschakelen. Je hebt hier vast wel ergens een sleutel of een code.'

De keukenlade. Waar Claire alle reservesleutels bewaarde.
Ik had kunnen doen alsof ik niet wist waar ze lagen.
Ik had hen kunnen afleiden.
Maar dat heb ik niet gedaan.
Ik deed de la open en pakte de sleutels.
'Yes!' Locke griste de sleutels uit mijn handen en gooide
ze naar Kara. Ze wachtten op mijn reactie. Ik aarzelde. Wat
moest ik doen? Maar ik hoefde niet lang na te denken. Ik
knikte.

Dus vertrokken we. Kara reed.
Ik heb haar de sleutels gegeven.
*Ik heb haar in mijn auto laten rijden, terwijl ik dat zélf
niet eens mocht.*

Vader en Moeder waren die avond weg. Misschien wilde ik wel van mijn voetstuk vallen: datgene waar ik het
bangst voor was. Ik was er langzaam naartoe gegroeid,
voorzichtig, zonder te weten wat precies mijn bedoeling
was. Ik wilde alleen niet álles zijn. Ik wist dat ik dat niet
was.

Er was een feestje. Niet bij ons in de buurt. Eigenlijk te
hoog gegrepen. We waren niet uitgenodigd. Niemand daar
kende ons en wij kenden er niemand. Een gesloten groep
onbekenden. Drank. Pillen en joints. In donkere hoekjes
werd geld uitgewisseld. Dit was heftiger dan we hadden gewild, en de kick van ons onuitgenodigde bezoek was binnen vijf minuten verdwenen. Toen we op het punt stonden
te vertrekken, gebeurde er iets onverwachts. Er werd ge-
schoten. Het spannende gevoel ging over in kille angst. We
maakten dat we wegkwamen. Ik had de sleutels in mijn tas.
Locke en ik stonden aan de ene kant van de auto, Kara aan
de andere. 'Schiet op, Jenna! Schiet op!' Het was donker.
Gegil. Ik zocht als een bezetene in het gapende zwarte gat
van mijn tas naar de sleutels. Toen ik ze had gevonden,

gooide ik ze naar Kara, met gestrekte vingers in een poging goed te mikken.

Geschreeuw. Harde kreten. We voelden ons als een vis op het droge. Paniekerig. We waren niet meer dan brave regeltjesvolgers die zich voordeden als rebellen. Andere auto's reden met gierende banden weg. Nog meer schoten.

'Rijden, Kara!' riep Locke vanaf de achterbank.

En dat deed ze.

Het leek erop dat we er zonder kleerscheuren vanaf waren gekomen, maar toen... een doffe dreun. Kara gilde. We werden van achteren aangereden. Alsof het een spelletje was. We waren te bang om na te denken.

'Harder!' riep Locke.

'Stoppen!' riep ik. En Kara huilde en gilde en trapte het gaspedaal nog dieper in. En weer een dreun. Ze week met een boog uit om te stoppen. Trapte keihard op de rem. En toen tolden we rond. Rond en rond. Een wazige, vlekkerige nachtmerrie waarin geluid en licht ons doorboorden. Ik gilde en vloog door de lucht. Draaide om mijn as. Een regen van glas, als duizenden mesjes, en de wereld had geen onder- of bovenkant meer. De angst was zo volledig dat ons gegil en onze bewegingen erdoor samengevlochten werden. Verzengende hitte en verblindend wit licht. Een grote boog door de lucht, gevolgd door de misselijkmakende doffe klap van mijn schedel op zand. Of was het Kara die ik naast me hoorde landen? En toen het plotselinge scherpe contrast van zachte geluiden, als het getinkel van kristal. Druppels. Gesis. Een langgerekt geknetter. De grond die in mijn rug drukte. En zacht gekreun dat in de lucht boven me leek te zweven. En ten slotte alleen nog zwart.

Ik heb Kara en Locke nooit meer gezien.

Wel gehoord. Een paar seconden hoorde ik hun ademhaling, hun gezucht, hun gegil. Ik hoorde hen. Zoals ik hen nu hoor.

En al die maanden, op die donkere plek waar ik wachtte op mijn wedergeboorte, waren dat de geluiden die ik steeds weer hoorde, de helse geluiden van Kara en Locke die langzaam doodgingen.

78

Zelfbehoud

Zij zijn mijn getuigen. Alleen zij weten dat ik niet achter het stuur zat.

Op een dag, ooit, zal iemand me komen halen. En dan heb ik Kara en Locke om me te helpen. Me te redden.

Ik kan ze bewaren.

Jenna die overal recht op heeft.

Hoe erg kan het nou zijn om voor eeuwig in een zwarte computer te zitten?

79

De laatste disk

De geslepen ruitjes van de buffetkast in de huiskamer laten met hun prisma-effect mijn spiegelbeeld uiteenvallen in minstens tien vertekende stukjes. Ik bekijk ze aandachtig: het geleende blauw, rood en paars dat overgaat in glinsterende huidkleur. Ik zoek naar glans, naar verschil, maar ik zie niets wat zegt dat ik anders ben dan Dane.

Er zitten versies van mij en mijn vrienden gevangen op een plek waar ik nooit meer naartoe wil. En ik help ze niet. Blauw. Rood. Paars. Huidkleur. Fragmenten. Bijna menselijk. Hetzelfde spiegelbeeld als Dane zou hebben.

Ik loop bij de kast vandaan, naar het wandmeubel dat een groot deel van de huiskamermuur beslaat. Daar rommel ik in de la, op zoek naar *Jenna Fox – jaar 7*, de disk met het meisje dat nog een kind was en niets wist van verwachtingen. Een jaar waarin alleen blauwe verjaardagstaarten en verrassingen belangrijk waren. Jaar 7, waarschijnlijk het laatste jaar voordat ik besefte dat ik bijzonder was.

Moeder heeft de lade opgeruimd en de disk ligt niet meer waar ik hem heb teruggelegd. Als ik mijn vingers zoekend over de rij disks laat gaan, valt me iets anders op. De camera. Die ligt achter in de la op zijn vaste plek, maar iemand heeft eraan gezeten. Er steekt een disk half uit. Ik trek hem los en kijk naar het etiket.

Jenna Fox – jaar 16 / disk 2.

Het schijfje trilt in mijn vingers. Dit is de allerlaatste. Echt de laatste disk.

Die ene waarvan Lily wilde dat ik hem bekeek.

80

Een optreden

Jenna zweeft over het podium. Haar bewegingen zijn nauw-
gezet. Haar armen sierlijk gebogen. Voeten gespitst naar voren, benen gestrekt, *arabesque, Jenna.*

Chassé, jeté entrelacé...

Plié... pas de bourré, pirouette, Jenna...

Volmaakte houding, volmaakte timing. Rechte rug, *en
pointe*, in evenwicht, pure elegantie.

Maar haar blik is doods. Het optreden komt vanuit haar
armen en benen en spieren en in geen enkel opzicht uit haar
hart.

Ik kan me die avond nog herinneren, het gevoel van de
spitzen, het lint strak om mijn enkels, het strakke lijfje van
mijn balletpakje waarin mijn volmaakte smalle taille goed
uitkwam, het vocht dat zich vormde in mijn nek. De herinnering is er al voordat ik de herhaling zie op de disk. Ik weet
nog dat ik die avond het publiek in keek vlak voordat de
voorstelling afgelopen was en dat ik Lily op de tweede rij
zag zitten. De teleurstelling in haar ogen; ik weet nog hoezeer dat me raakte, en tegelijkertijd gaf het me toestemming
om te doen wat zou volgen. *Relevé, relevé.* Mijn geoefende
spieren en botten spraken tegen me, droegen me op te pres-
teren. *Relevé, Jenna.* Maar ik was als aan de grond gena-
geld. De muziek ging langs me heen.

Relevé, Jenna! Het publiek begint te schuifelen. Ongemakkelijk. Hopend dat het moment gauw voorbij zal gaan. Ik betwijfel het. Ik zie Lily's blik die op me is gericht, maar ik zie ons ook een paar dagen eerder samen aan haar aanrecht staan. Toen klaagde ik over de naderende voorstelling.

'Wie bén je nou eigenlijk, Jenna? Hoe kan iemand weten wie je bent als jij het niet laat zien?'

'De verleiding is groot. Ik zou me één keer willen laten gaan.'

'Wat zou je dan doen?'

'Ik zou op het podium bewegen zoals ík zelf wil: stampen en kronkelen en heupwiegen. Ik zou ze eens wat laten zien.'

'Waarom doe je dat dan niet?'

Ik weet nog dat ze het meende en ook dat ik haar aankeek alsof ze gek geworden was. 'Dat kan ik niet maken. Ik zou een heleboel mensen ontzettend teleurstellen.'

'Je ouders, bedoel je. Die overleven het vast wel.'

Het publiek houdt de adem in. De muziek is opgehouden. *Relevé, Jenna!* Mijn spieren eisen aandacht.

Stampen en kronkelen, Jenna. Heupwiegen!

En dan voel ik het. Mijn kuiten spannen zich aan. Mijn hielen gaan omhoog. *Relevé.* En huppeltje naar *en pointe.* Vasthouden. Vasthouden. Naar de vierde positie, *plié* en strek. Het publiek slaakt een zucht van verlichting, ook al maak ik mijn dans af terwijl de muziek allang is gestopt. Hun ijverige applaus dicht het gat dat was gevallen.

Ik heb aan de verwachtingen voldaan. Dat is het enige wat telt.

%N%

Stukjes

Hier een beetje voor iemand.
Daar een beetje.
En soms vormen de beetjes samen geen geheel.
Maar je hebt het te druk met dansen.
Aan de verwachtingen voldoen.
Je hebt geen tijd om het te zien.
Of je durft het niet te zien.
En dan, op een dag, moet je wel kijken.
En het is waar.
Al jouw stukjes vullen de gaten op van andere mensen.
Maar niet
die van jezelf.

82

Het strand

'Hier!' roept Claire zwaaiend.

Lily zwaait terug. We gaan geen van beiden naar Moeder toe, en ze zet haar tocht door de getijdenpoeltjes voort. De rit naar het strand is gespannen verlopen. In de auto werd nauwelijks gesproken. Moeder stond erop dat we naar zee gingen; ze zei dat deze ongewoon warme dag voor maart ideaal was om een strandwandeling te maken.

'Ze had er behoefte aan,' zegt Lily.

'Ik niet.'

Lily trekt haar sweatshirt uit over haar hoofd en knoopt het om haar middel. 'Waar heb je dan wél behoefte aan, Jenna?' Haar toon is scherp.

Als ik naar haar kijk, krijg ik een knoop in mijn binnenste. Ik kan geen antwoord geven. Hoofdschuddend loop ik weg. Ze grijpt me bij mijn arm en draait me met een ruk om. 'Ik vroeg je wat. Waar heb jij behoefte aan?'

Ik wil me lostrekken. Hoe durft ze me te behandelen als een...

'Ik heb behoefte aan... aan...' Ik heb behoefte om de woorden naar haar stomme kop te slingeren, maar ze blijven in mijn keel steken, alsof ze ergens aan vastzitten. Ik sta daar met trillende mond, op zoek naar woorden.

'Zeg het dan!'

Ik kan het niet.

Met een zucht laat ze mijn arm los. 'Dat is altijd jouw probleem geweest, Jenna,' zegt ze zacht. 'Je bent altijd twee verschillende mensen geweest. De Jenna die het iedereen naar de zin wil maken en de Jenna die daar stiekem een enorme hekel aan heeft. Ze zullen je heus niets doen, hoor. Je ouders hebben jou nooit als volmaakt beschouwd, dat deed je zelf.'

Waar slaat dat op? Ik heb mezelf nooit... 'Ze hebben me vanaf het allereerste begin op een voetstuk geplaatst! Wat kon ik anders dan volmaakt zijn? En als ik achteropraakte met wiskunde of voetbal of navelstaren, dan regelden ze een privéleraar voor me! Ik kreeg bijles en training tot ik wél volmaakt was! Ik ben mijn leven lang onder de microscoop gehouden. Vanaf het moment dat ik verwekt was, moest ik álles zijn, omdat ik hun wonder was. Daaraan heb ik elk dag van mijn leven moeten voldoen. Hoe kun je dan zeggen dat het aan mij lag en niet aan hen? Ik ben verwekt om aan hun verwachtingen te voldoen!'

'Wat is er?' vraagt Claire, die naar ons toe komt hollen om te kijken waarom we zo hard praten.

Lily houdt mijn blik vast, alsof ze me moet overhalen niet van een brug te springen. Dan zegt ze met gedempte stem: 'Begin klein. Ik vraag het je nog een keer: waar heb je behoefte aan?'

'Aan... aan...' De woorden komen niet. *Klein beginnen.* 'Een rokje. Een rood rokje!'

'Hè?' Claire is duidelijk in verwarring, maar haar ogen zijn indringend en helder op mij gericht, alsof ik de complete Grote Oceaan ben.

'En de ruimte. Ik heb behoefte aan ruimte.'

Claire kijkt Lily aan. 'Wat is er aan de hánd?'

'Luister maar,' zegt Lily. Ze pakt Claire bij haar schouders en draait haar naar me toe. 'Gewoon naar haar luisteren.'

'Ik wil jullie wonder niet meer zijn. Ik kán jullie wonder niet meer zijn. Ik wil op deze planeet rondlopen met dezelfde kansen als ieder ander. Ik wil hetzelfde zijn als ieder ander.'

Ik wacht even. Haal diep adem. 'Ik kan niet leven als ik niet ook dóód kan gaan. Ik wil die back-ups hebben. Van Kara, van Locke... en de mijne.'

Moeders gezicht verstart alsof ik onzin uitkraam.

'Ik wil ze laten gaan,' fluister ik.

Ze verroert zich niet.

'Vernietigen,' verduidelijk ik. Ik verhef mijn stem, zodat mijn bedoelingen nu eens niet verdraaid kunnen worden.

Haar gezicht ontspant zich, wordt uitdrukkingsloos. Ze zwijgt veel te lang. Nu ben ik degene die verstard blijft staan kijken, en Lily wacht af of mijn woorden wel tot haar doorgedrongen zijn. En dan sluit het spleetje van haar halfopen mond zich en recht ze haar schouders. 'We stoppen onderweg naar huis om een rood rokje voor je te kopen,' zegt ze uiteindelijk. Ze draait zich om en loopt weg. Ze blijft alleen even staan om Lily een starre, kille blik toe te werpen.

83

Berekeningen

De rit naar huis verloopt in stilte. Ik kijk naar Lily. Naar Moeder. Ik zie hun ogen onscherp naar de weg voor ons staren, nietsziend. We zijn alle drie in gedachten verzonken en zien onze eigen grenzen afgebakend, en misschien die van anderen. Hoe ver kunnen we gaan? Hoe kunnen we de grenzen oprekken? Hoeveel valt er te behouden? Hoe kunnen we onze zin krijgen? De inschattingen en berekeningen zijn eindeloos: we kennen de toekomst niet en weten niet hoe ver 'ver' voor ons drieën is. Mijn gedachten dwalen af, zoeken, berekenen, gaan terug, maken een sprong naar het verleden en weer terug.

Mijn schat, mijn lieve kleintje, het spijt me zo.

Het is schemerdonker in de ziekenhuiskamer. Haar stoel staat heel dichtbij. Ze wiegt, neuriet, fluistert en glimlacht. De glimlach is het ergst om naar te kijken. Die gaat haar kracht te boven, maar toch lukt het haar telkens weer om te glimlachen.

Laat me sterven.

Alsjeblieft.

Die woorden schreeuwde ik uit. Keer op keer. Maar alleen in mijn hoofd. Ze kwamen niet over mijn lippen. Maar zelfs terwijl ik vanbinnen smeekte en hoopte dat de boodschap zou overkomen, wist ik het. Ik lag daar in dat ziekenhuisbed en kon me niet verroeren en niet praten, maar zodra ik Claire in de ogen keek, wist ik het.

Ze zou me nooit laten gaan.

Hoe sterk ze ook was, ze had niet de kracht om me te laten gaan.

Ik was voorgoed haar kindje. Voor altijd haar wonder.

Hoe lang is voorgoed?

84

Bevatten

Voorgoed   bw. van tijd **1.** voor altijd, definitief: *zij blijft voorgoed hier*, ze gaat niet meer weg

Er zijn vele woorden en definities die ik nooit kwijtgeraakt ben.
Maar sommige daarvan dringen nu pas echt tot me door.

85

Verplaatsen

Lily zwaait de deur van haar kamer dicht en vertrekt – naar haar kas, om te mokken, neem ik aan. Vader staat op de oprijlaan met iemand te praten. Hij steekt zijn hand op en zwaait, maar zet het gesprek voort. Ik schrik ervan dat we bezoek hebben, want dat is nooit eerder gebeurd. De man staat met zijn rug naar me toe, maar zijn omvang komt me op een vreemde manier bekend voor. Moeder pakt de twee tassen met boodschappen die we onderweg hebben ingeslagen. We hebben geen rood rokje gekocht. Het is niet belangrijk. Dat is het nooit geweest.

'Kom, dan gaan wij achterom, Jenna,' zegt Moeder. Haar stem begeeft zich vlak bij een afgrond die ik al heb berekend. Hoe ver. Hoe diep. Ik draai me om. Laat haar bij de ingang van de garagewoning staan en loop naar de voorkant van het huis, waar Vader met de bezoeker staat te praten. Ze staan dicht bij elkaar en praten ingehouden, alsof de lucht de woorden zou kunnen weggrissen. Vader kijkt met een schuine blik naar me en probeert me met zijn ogen te dwingen gauw naar binnen te gaan. Maar natuurlijk blijf ik staan.

... morgen...

... niet veilig...

Ik concentreer me en probeer de gefluisterde woorden te verstaan. Ik voel iets gonzen vanbinnen, een soort pijn, en dan rust, alsof de woorden rechtstreeks in mijn oor gefluisterd worden. Alsof alle beschikbare neurochips aan het werk gezet zijn. En dat zijn ze ook. Ik heb miljarden neurochips tot mijn beschikking.

Waar ze nu zijn, zijn ze te kwetsbaar.

Ik heb meerdere mogelijkheden. Morgen verplaats ik ze.

Het mag niet...

... traceerbaar zijn. Dat weet ik. Is geregeld.

En de veiligheid?

Ik heb je toch nooit in de steek gelaten?

Ze is mijn hele leven, Ted.

De bezoeker geeft Vader een hand en draait zich dan om. Hij heeft al die tijd geweten dat ik naar hen stond te kijken. De man knikt in mijn richting en ik voel in mijn binnenste alles naar beneden vallen. Het is de toerist die bij het missiehuis was. De man die een foto heeft genomen van Ethan en mij.

Schuifelend loopt hij de oprit af en dan perst hij zijn zware lijf in een klein autootje, dat zucht onder zijn gewicht.

'Wie is dat?' vraag ik als Vader naar me toe komt.

'Dat doet er niet toe,' antwoordt Vader. 'Kom, we gaan naar binnen.'

'Ik heb hem eerder gezien.'

Vader fronst zijn voorhoofd. Hij weet dat ik er niet over op zal houden. 'Het is mijn hoofd Beveiliging. Hij zorgt voor... van alles.'

'Voor mij, bijvoorbeeld?'

'Soms.'

'Hij heeft een foto van me genomen bij het missiehuis.'

'Niet van jou. Hij deed onderzoek naar Ethan en jullie schoolproject daar. Om zich ervan te verzekeren dat de risicofactor minimaal was.'

'Is dat wat er van mijn leven is geworden?'

'Wat?'

'Een risicovrije, afgesloten omgeving voor je proefdier?'

Vader haalt met een zucht zijn hand door zijn haar, het enige nerveuze gebaar dat ik van hem ken. 'Laten we daar nu niet weer over beginnen, Jenna.'

'Wat gaat die man verplaatsen?'

Vader staart me aan en maakt zijn eigen inschatting terwijl hij mijn gezicht bestudeert, en vooral mijn ogen. Weet hij dat ik leugens net zo goed kan zien als een zucht of schouderophalen? Hij geeft geen antwoord. Hij krijgt steeds meer in de gaten. Hij weet dat ik méér aan het worden ben dan hij had gepland. Meer dan het eeuwig gehoorzame meisje van veertien op wie hij zo dol was. Maar alle kinderen worden ouder.

'Ik kom er zelf wel achter,' zeg ik dan.

Hij geeft zich gewonnen. 'De back-ups. Die horen niet in een kast in een woonhuis. We hadden toen niet de tijd om iets beters te bedenken, maar nu wel. Hij gaat ze verplaatsen naar een veiliger locatie.'

Vader kijkt naar me, van te dichtbij, te ingespannen, alsof ook hij de betekenis achter iedere ademhaling en schouderbeweging kan zien. Ik kijk bewust schuin naar links, alsof ik zijn woorden afweeg, en dan langzaam weer naar hem. 'O,' zeg ik dan. 'Dat is misschien wel een goed idee, ja.' Terwijl hij naar me kijkt zie ik hoe zijn spieren zich langzaam ontspannen. Hij gelooft me. Maar dat is niks nieuws. Hij heeft me altijd geloofd, omdat ik braaf de regeltjes volgde. Ik hield me aan de regels die hij begreep. Maar nu zijn er nieuwe regels, regels die hij nog niet kent. Hij leert ze wel. Net zoals ik ze leer.

Hij doet de voordeur open. 'Ga je mee naar binnen?'

'Nee,' zeg ik. 'We waren nogal laat terug. Ethan komt me zo halen.'

'Je hoeft vandaag niet naar school.' Hij laat een vraag doorschemeren. Vader lijkt meer op Claire dan in mijn herinnering. Sinds wanneer hangt hij zo aan me? Maar ik heb het gevoel dat het antwoord ergens tussen duisternis en angst te vinden is, op een van die momenten dat het ernaar uitzag dat ik voorgoed verloren was. Ik ben niet de enige die door het ongeluk is veranderd, zij zijn ook allebei anders geworden, en zijn verandering heeft zich toen voltrokken. De inschattingen en berekeningen vloeien uit me weg. Ik ben zeven jaar en neem hem mee naar een taart die is vervuld van mijn liefde voor hem. Ik buig me naar voren en geef een kus op zijn wang. 'Onze vriendin Allys is ziek. Ze is al dagen niet op school geweest. We gaan naar haar toe.'

Een simpele kus op zijn wang en zijn ogen worden meteen glazig. 'Voor het donker thuis, hè?' zegt hij. Ik geef geen antwoord, want liegen kan nu niet. Maar ik zal het proberen. Vanwege zijn ogen. Omdat ik zijn hele leven ben. Omdat sommige dingen niet veranderen.

Als ik op de stoep op Ethan sta te wachten, roep ik in gedachten het gefluisterde gesprek van Vader en de onbekende man nog eens op. *Morgen.* Dat zei hij. Morgen worden de back-ups afgevoerd. Verdwijnen hun stemmen dan ook? Zal ik ze nog horen roepen, smekend om verlossing? Kregen zij maar een tweede kans – maar ze zullen nooit een wedergeboorte meemaken, zoals ik. Hun vagevuur zal eeuwig duren, en op de een of andere manier zullen ze altijd weten dat ik hen had kunnen redden. Had moeten redden.

Hoe laat morgen? Heeft hij dat gezegd? Hoeveel tijd heb ik nog?

Morgen wordt de toekomst van Kara en Locke onherroepelijk vastgelegd en word ik zelf minder dan de enige echte, vergelijkbaar met de eerste van een serie zeefdrukken. Kara, Locke en ik, vergeten in een of andere opslagruimte.

Vader en Moeder zullen tussen nu en morgen de deur niet uit gaan. Hun kast in glippen kan ik wel vergeten.

Getuigen. Ze zijn getuigen.

Trouwens, ik heb de sleutel van de kast niet meer. Ik ben zo stom geweest hem in het slot te laten zitten toen ik ervandoor ging. Ik kan niets beginnen. *Relevé, Jenna, relevé.*

Ik kijk naar mijn handen. Ze trillen. Een strijd tussen neurochip en neuron, tussen overleven en opofferen.

Waar blijft Ethan nou? Hij is te laat!

Ik ga op mijn tenen staan, alsof ik zo verder de straat in kan kijken. Mijn ademhaling is oppervlakkig en hijgend, en het voelt als verraad dat dit lijf zich zo gemakkelijk de paniek herinnert terwijl het voor de herinnering aan mijn vrienden hulp nodig heeft. *Ik kan ze niet laten gaan.*

Dan zie ik eindelijk Ethans auto aan het einde van onze straat de hoek om komen.

'Ik kan je helpen.' Geschrokken draai ik me om. Lily.

Ik hoef niets te vragen. Ik weet wat 'helpen' betekent.

'Je hebt er het recht toe,' zegt ze. 'In ieder geval als het om je eigen back-up gaat. En misschien niet alleen die. Jij bent de enige die weet hoe het is. Als je dit echt wilt, kunnen we wel iets regelen...'

Ethan zet de auto stil langs de stoeprand. Ik doe het portier open, maar kijk om naar Lily. 'Ze halen ze morgen weg.'

'Zullen we het vanavond bespreken?'

Ik knik, verbaasd over haar onverwachte aanbod. 'Misschien wel,' antwoord ik, en ik stap in Ethans auto.

86

Ze weten het

'Je trilt.'

'Alleen mijn handen.'

'Nee, je hele lijf.' Hij trekt me met één arm naar zich toe en stuurt met de andere. Ik zie nu voor het eerst mijn eigen schouders trillen. Ik probeer het te laten ophouden, maar ik heb er geen controle over. Is dit wat Vader bedoelde? ... *wanneer je eigen hersenweefsel 'botst' met de Bio Gel... seinen die min of meer het effect hebben van antistoffen... het een zal proberen het ander te overheersen... voor dat soort scenario's bewaren we de back-ups. Voor alle zekerheid.*

Ethan buigt zich naar me toe, met een half oog op de weg, en drukt zijn lippen tegen mijn slaap. Er gaat een soort elektrisch schokje door me heen, en heel even kan ik mijn gedachten loslaten. 'Het is al goed,' zegt hij. Hij gaat weer recht zitten en richt al zijn aandacht op de weg, maar blijft over mijn schouder wrijven. Als ik naar hem kijk, vraag ik me af hoe iemand die zo zachtaardig is ooit een ander met een stuk hout op zijn hoofd heeft kunnen slaan. Schuilen er in ons allemaal verrassende grenzen? 'Je hoeft niet bang te zijn dat Allys het vertelt. Ze is nu al vier dagen weg. Als ze het iemand had verteld, zouden we dat inmiddels wel weten.'

'Misschien wel,' antwoord ik. 'En misschien ook niet. Je hebt zelf gezegd dat de FCWE een bureaucratische instelling is. Het zou kunnen dat de opdracht om mij op het schavot te hijsen alleen maar is vertraagd door de papiermolen.'

Hij zwijgt, maar zijn blik schiet heen en weer over het voorbij glijdende landschap, alsof hij daar woorden leest die voor mij aan het zicht onttrokken zijn. Hij wrijft nog steviger over mijn schouder. Opeens laat hij me schrikken door te declameren: '*Ik ben er in mijn binnenste van overtuigd dat het meeste wat mijn buren goed noemen slecht is, en als ik ergens spijt van heb...*' Hij zwijgt afwachtend.

Glimlachend geef ik me gewonnen: '*is dat waarschijnlijk van mijn goede gedrag.*'

'*Geen enkele manier van denken of doen, hoe oud ook, is te vertrouwen zonder bewijs. Wat iedereen vandaag de dag napraat...*'

'*... of in stilte voor waarheid houdt, kan morgen vals blijken.*' Ik steek mijn hand op om zijn volgende citaat tegen te houden. 'Ethan, ik waardeer het echt dat je moeite voor me doet, maar mijn angst gaat niet over als ik de hele dag Thoreau citeer.'

Zijn lippen wijken uiteen en hij blaast een lange stroom lucht uit. 'Maar de mijne misschien wel,' zegt hij dan. Hij geeft een kneepje in mijn schouder. 'En voel eens, ze trillen niet meer. Ik geloof dat je toch niet zoveel weet als je denkt.'

Inderdaad. Het trillen is opgehouden. Bang maar rustig. Dat is al een klein beetje beter. Ik denk aan de woeste energie van cyclonen, met in het middelpunt een piepklein cirkeltje van kalmte. Dat heeft Ethan me bezorgd. Ik leun tegen zijn schouder aan. 'Misschien is ze helemaal niet ziek. Misschien wil ze me gewoon niet zien.'

'De laatste keer dat we haar zagen, zag ze er niet goed uit. Haar huidskleur was vreemd, er klopte iets niet.'

Dat is waar. Ik weet nog dat het me opviel dat ze zo geel zag en dat de pillen die ze moest innemen in haar keel bleven steken. Een nieuw virus? Dat kan niet waar zijn, niet weer. Maar natuurlijk weet ik best dat het mogelijk is. Dodelijke virussen zijn de plaag van onze tijd.

De weg naar het huis van Allys zit vol kuilen en hobbels. Ik heb hier nooit eerder gereden. Het pad kronkelt dieper en dieper landinwaarts en wordt smaller; de bomen slokken de weg op. Wil ik er wel naartoe? Weet Ethan de weg eigenlijk wel?

'Woont ze zó ver weg?'

'Het valt wel mee. Als je ergens nog nooit geweest bent, lijkt het verder.'

Hij slaat een onmogelijk smal paadje in. Het wegdek is oneffen, niet geasfalteerd; het bestaat uit zwaar grind dat in het zand is geperst. Ik zie Allys nog niet op deze weg lopen. Vanaf de weg zijn geen huizen te zien; hoge, dichte struiken belemmeren het zicht. We komen bij een oprit die wordt gemarkeerd door een eenvoudige witte paal met een adres erop. Ethan stuurt zijn grote pick-up over het smalle pad en we worden opgeslokt door een uit de kluiten gewassen oleander; de roze en witte bloemen strijken langs de ramen. Het is een vrolijk contrast met onze werkelijkheid en de reden waarom we zo'n lange tocht hebben afgelegd over die onbekende weg. Ik ben gebiologeerd door het langsflitsende wit, roze en groen.

Plotseling eindigt onze tunnel op een grote open plek: een smaragdgroen gazon voor een klein grijs huis met een diepe, schaduwrijke veranda. Het is een stil huis, roerloos, alsof het zijn adem inhoudt. Ik zet me schrap in de autostoel.

'Misschien is er niemand thuis.'

'Jawel, ze zijn thuis,' zeg ik. Welke neurochips zijn al verder dan wat mijn neuronen weten? Hoe vertellen ze me dat? Of is het simpelweg datgene wat ze intuïtie noemen? Ik weet het in ieder geval met grote zekerheid. We worden bekeken. Ogen nemen onze auto op.

We parkeren de wagen op de halve cirkel van de oprit en lopen het trapje naar de voordeur op. De zware hoge schoenen van Ethan dreunen in de stilte. Zelfs de vogeltjes durven niet te zingen.

Bij de laatste tree aarzel ik. 'Ik weet niet...'

'Ik heb hier ook geen goed gevoel over.'

Mijn denkbeeldige maag trekt samen. 'Ze is onze vriendin.' Het is net zozeer een vraag als een mededeling.

'Je klinkt niet erg geruststellend,' antwoordt Ethan.

De deur gaat open voordat we kunnen aanbellen.

'Is Allys thuis?' gooit Ethan eruit.

Een vrouw staart ons uitdrukkingsloos aan. Ze heeft roodomrande ogen met donkere wallen eronder. 'Jou ken ik nog,' zegt ze. Haar holle ogen doen me denken aan Moeder toen ik vanuit mijn ziekenhuisbed naar haar opkeek, in de tijd dat ik de smalle grens tussen leven en dood keer op keer overschreed, naar beide kanten. De dagen waarin ze geen moment van mijn zijde week. 'Ethan,' voegt de vrouw er na een hele tijd aan toe.

'Ja, ik heb Allys een keer opgehaald om samen naar school te rijden.'

'Dat was aardig van je.' Haar blik dwaalt af alsof ze terugdenkt aan een belangrijk moment.

'En ik ben Jenna.' Ik steek mijn hand uit.

Ze verplaatst vliegensvlug haar blik, en haar pupillen worden ijzige kraaltjes. 'Jenna,' zegt ze, alsof ze weet wie ik ben. Als ze mijn uitgestoken hand ziet, steekt ze langzaam haar eigen hand uit om hem vast te pakken. Ze wrijft met haar duim over mijn knokkels alsof ze ze telt en laat me niet los. Ik kijk Ethan aan, bang om mijn hand terug te trekken. Ze ziet onze blikken en laat me los. Recht haar rug. 'Allys is ziek,' zegt ze dan.

'Mogen we haar zien?'

Er verschijnt een nieuwe hand om de hoek en de deur wordt helemaal opengezwaaid. 'Waarom ook niet,' zegt een man. Hij is duidelijk net zo doodop als de vrouw; de kringen onder zijn ogen en de groeven in zijn voorhoofd verraden dat hij dagenlang niet heeft geslapen.

'Misschien kan ze dat niet aan,' protesteert de vrouw, en ze belemmert ons de doorgang.

De stem van de man klinkt liefdevol, amper een fluistering, een kort mes in de spanning die het huis in zijn greep heeft. 'Het zijn vrienden van haar, Victoria. Als het nu niet kan, wanneer dan wel?'

Ze doet een stap opzij. 'Deze kant op,' zegt de man. Mijn voeten verroeren zich niet, maar Ethans duwtje tegen mijn elleboog is sterker dan de stormvloed aan vluchtgedachten in mijn hoofd. We lopen achter hem aan een lange gang door. Ik voel de vrouw vlak achter me – ze houdt iedere beweging in de gaten. *Mijn* bewegingen. Voordat we bij de laatste kamer aan de linkerkant komen, blijf ik staan.

Ik ruik de dood al. De herinneringen komen hard aan. *Geur*. Het was mijn laatste band met deze wereld voordat ik werd afgevoerd naar een donkere, lege plek. De geur is uitgesproken, zoet en gistig, de lucht van de dood, als bedorven brood, vochtig en opgezwollen; het vormt een laag op muren, neusgaten, huid, alles wat binnen bereik is, en het probeert zich overal aan te hechten. Zelfs als ik niet meer zou kunnen zien, zou ik de dood over mijn huid voelen kruipen.

'Is ze daarbinnen?' vraag ik.

'Ja,' fluistert haar vader. 'Toe maar. Ze wil jullie vast graag zien.'

We zetten nog twee stappen. Nog voordat we haar zien, zien we dat de kamer vol staat met medische apparatuur. Zuigpompen, bladen met verbandgaas, wattenstaafjes met pepermuntsmaak, bekertjes gemalen ijs en stapels witte handdoeken.

Ethan doet een stap terug en laat zich wankelend tegen de muur zakken. 'Ze is te ziek om thuis te blijven. Waarom ligt ze niet in het ziekenhuis?'

Haar moeder, die achter ons staat, geeft antwoord. 'Allys' verzorging is alleen nog gericht op pijnbestrijding. Haar lever begeeft het. En haar longen. Hart. Nieren. Moet ik nog doorgaan? Zo'n beetje al haar organen hebben het min of meer opgegeven. Daar komt nog eens bij dat ze door haar zwakke toestand systemische lupus heeft gekregen. Het komt er eigenlijk op neer dat haar lichaam zichzelf aanvalt.'

'Is een transplantatie geen optie?' vraagt Ethan.

'Van welk orgaan? Er zijn er te veel aangetast. En het aantal groeit snel. Ze zeggen dat ze niet meer te redden is.'

'Er is bij haar vorige ziekte al schade ontstaan,' voegt haar vader eraan toe. 'Dat wisten we. Maar de artsen dachten dat de gevolgen wel te beperken waren met medicatie. Het ging zo goed met haar. We dachten...'

Hij barst in snikken uit. Ik kijk toe hoe hij huilend steun zoekt tegen de muur en opgelaten zijn tranen wegveegt. Dan kijkt hij naar de grond en knijpt in zijn neusbrug. Zijn schouders schudden en er ontsnapt een zacht gekreun aan zijn lippen in zijn poging het verdriet te onderdrukken. Ik heb mijn eigen vader nooit zien snikken, maar nu snijdt de ademhaling van deze man dwars door me heen en verzwakt me zo dat ik bang ben door mijn knieën te gaan. Dit zijn geluiden die ik eerder heb gehoord. De geluiden van een volwassen man die huilt omdat hem niets meer rest. De geluiden van mijn vader.

Ik pak Ethan bij zijn arm en trek hem mee de kamer in. Allys draait haar hoofd onze kant op als we binnenkomen. Ethan kan zijn reactie niet onderdrukken. 'Jezus!'

'Nee, jij trekt volle zalen.' Haar stem klinkt schor en zwak. 'Allys,' zeg ik. Ze is klein en verdwijnt bijna tussen de lakens en kussens, alsof ze al half opgeslokt is door een andere wereld. Op haar rechterarm na zijn de prothesen verwijderd, opgeborgen. Haar stompjes komen maar amper uit haar nachthemd gepiept. Er ligt een zuurstofslangetje over haar bovenlip en op haar borst zit een grote plakker.

'Kom eens dichterbij,' zegt ze. 'Praten gaat moeilijk.'

Ethan gaat aan de ene kant van haar bed staan en ik aan de andere. 'We wisten niet dat je zo ziek was,' zegt Ethan.

Ze glimlacht; haar lippen zijn een vaalgele veeg in haar gezicht. 'Dat kun je wel zeggen, ja. Ik ga dood. Als je organen uitvallen, duurt het niet lang meer. We hebben altijd geweten dat dit kon gebeuren. Mijn ouders wílden het alleen niet weten.' Ze grinnikt moeizaam. 'Ik misschien ook wel niet.' Als ze moet hoesten, trekt ze een pijnlijk gezicht. Ze drukt een knopje in op een bedieningspaneel vlak bij haar vingertopjes. Onder de plakker op haar borst klikt iets. 'Een wondermiddel,' zegt ze glimlachend.

'Allys, als we iets voor je kunnen doen...' zeg ik.

'Nee Jenna, het is allemaal al gedaan. Deze trein is tientallen jaren geleden in beweging gezet door mensen die meenden boven de wet te staan, en het zal ook wel weer tientallen jaren duren voordat hij gestopt kan worden. Alleen de FCWE kan nog iets doen aan de puinhoop die we ervan hebben gemaakt. Maar voor mij is het te laat. Als je alles optelt wat ik nodig zou hebben, zou het percentage veel te hoog uitkomen. Zo is de wet, weet je nog?'

Ik zwijg. Voor iemand die zo ziek is, klinkt ze behoorlijk bot.

'Pak mijn hand eens vast,' zegt ze.

Ethan wil haar hand pakken.

'Nee, Jenna. Ik wil dat Jenna mijn hand vasthoudt.'

Ethan en ik kijken elkaar aan. Hoe kun je iemand die stervende is zo'n bescheiden verzoek weigeren? Ik reik over het bed heen naar haar prothesehand. 'Wat heb je zachte handen. Veel zachter dan de mijne.' Eerst houdt ze me voorzichtig vast, dan knijpt ze harder. Ze trekt me naar zich toe. 'Dichterbij,' zegt ze. Ik buig me naar haar toe tot mijn gezicht vlak bij het hare is; haar zoetige ziekenadem blaast warm over mijn wang. Ze duwt zich zo ver omhoog als haar linkerstomp toelaat en fluistert iets in mijn oor.

Dan laat ze zich terugvallen in haar kussen en ik doe een stap achteruit.

'Wat voor geheim hebben jullie?' vraagt Ethan.

'Het is niet geheim,' antwoordt ze, en dan doet ze haar ogen dicht omdat het 'wondermiddel' weer voor een kwartiertje zijn werk doet.

Ethan wrijft met de muis van zijn hand in zijn oog en schraapt zijn keel. 'We kunnen beter gaan,' zegt hij dan.

We zeggen Allys gedag, maar ze slaapt al.

Haar vader loopt met ons mee naar de deur. Hij gedraagt zich nu beheerst en is weer de vermoeide man die ons daarstraks begroette. Zijn zelfgecreëerde cirkeltje van kalmte. 'Fijn dat jullie gekomen zijn,' zegt hij. 'Ik weet dat het veel voor haar betekent.'

Haar moeder komt haastig de veranda op gelopen voordat we vertrekken. 'Jenna? Jij woont toch op Lone Ranch Road?'

'Ja.'

'Dat dacht ik al.' Zonder verder nog iets te zeggen draait ze zich om en gaat weer naar binnen.

Ethan en ik vertrekken via hetzelfde trapje dat ons hierheen heeft gevoerd. We zeggen geen woord tot we weer op de grote weg zijn.

'Het heeft wel één voordeel,' zegt Ethan met een zucht.

'Wat dan?'

'Allys zal nu niemand over jou vertellen.'

Ik staar uit het raam. Het landschap flitst als een grijs waas voorbij, omdat ik me richt op een punt in de verte, ergens tussen de autoruit en de wereld om me heen. Een niet-exacte verte die niets bevat behalve de woorden van Allys. Ethan onderschat haar. 'Ze heeft het al verteld,' zeg ik tegen hem. 'Dat fluisterde ze in mijn oor. Dat bedoelde ze met "Het is niet geheim". Ze heeft het haar ouders verteld. Ze heeft hun gevraagd me aan te geven.'

Ethan krijgt rode vlekken in zijn gezicht, onder zijn ogen, en zijn handen omklemmen het stuur. 'Ik breng je niet naar huis,' zegt hij. 'Ga mee naar mij thuis. Of een andere plek. Ik breng je ergens naartoe waar niemand je kan vinden...'

Ethan ratelt maar door met zijn wanhopige plannen voor mijn ontsnapping, maar ik betrap me erop dat mijn aandacht afdwaalt: ik vraag me af wat voor plek het zou kunnen zijn waar Ethan me heen zou moeten brengen. Zo raak ik verstrikt in een wereld van 'misschien' en 'stel dat', een wereld waar ik wil blijven omdat hij veel veiliger is dan waar ik nu ben.

%A%

Vertrekken en blijven

Ik zou het bijna kunnen.
Ik zou bijna kunnen vertrekken en nooit meer terugkijken.
Net als meneer Bender zou ik alles wat ik ooit was
achter me kunnen laten, inclusief mijn naam.
Vertrekken vanwege Allys
en dat wat ik volgens haar ben.
Vertrekken vanwege al die dingen waarvan ik vrees
dat ik ze nooit meer zal zijn.
Vertrekken omdat ik misschien niet genoeg ben.
Vertrekken omdat Allys, senator Harris en de halve wereld
het beter weten dan Vader en Moeder en misschien
ook wel Ethan.
Vertrekken.
Omdat de oude Jenna zo werd opgeslokt door haar eigen
behoeften
dat ze 'ja' zei terwijl ze wist dat ze 'nee' had moeten zeggen.
En de schande van die avond
zou verborgen kunnen worden op een nieuwe plek,
achter een nieuwe naam.
Maar vriendschap ligt ingewikkeld.
Dat is het blijven-gedeelte.
Blijven vanwege Kara en Locke en alles wat ze nooit zullen zijn,
behalve opgesloten.

Blijven omdat voor hen de tijd dringt en ik hun laatste kans ben.
Blijven voor de oude Jenna en alles wat ze Kara en Locke
verschuldigd is.
En misschien is de nieuwe Jenna hun ook veel verschuldigd.
Blijven vanwege die tien procent en wat die zou kunnen betekenen.
Blijven vanwege het verloren leven van meneer Bender
en alles wat hij betreurt.
Blijven voor de connectie.
Blijven omdat twee Jenna's genoeg is
om één van mij
waardeloos te maken.
En blijven omdat Lily misschien toch wel evenveel
van de nieuwe Jenna houdt
als van de oude.
Omdat, als je het de tijd geeft,
de mensen en de wetten misschien wel veranderen.
Misschien veranderen we allemaal.

88

Een plan

Er is iets wat in mijn voordeel werkt.

Om vier uur 's nachts in mijn pikdonkere kamer kan ik toch zien. Het lampje op de gang is strategisch uitgeschakeld. Twee uur voor het afgesproken tijdstip sta ik al achter mijn deur, omdat ik het uithoudingsvermogen van een paard heb.

En omdat ik niet kan slapen.

De angst raast als cafeïne door mijn aderloze lichaam, springt van biochip naar biochip en cirkelt om mijn bewaard gebleven tien procent heen, mijn hersenen, niet meer dan een vlinder, niet groter dan een echte vlinder, maar wel de allerbelangrijkste centimeters van mijn universum. Het verschil tussen blijven en vertrekken. Het uithoudingsvermogen van een paard, maar ik moet wel telkens weer naar adem happen. *Verraad. Trouw. Overleven. Opoffering.* Ze strijden in mijn binnenste.

Vijf uur.

Nog vijftig minuten. Is het te laat om me te bedenken? Zou de oude Jenna haar toekomst op het spel gezet hebben voor een ander? Ik sta dicht tegen de muur gedrukt, achter de open deur, die mijn tenen raakt. In het donker zullen ze me nooit zien. Als ik het plan voor de honderdste keer doorneem, hoor ik een van de losse vloerplanken voor mijn deur kraken. Mijn herinnerde hart klopt in mijn keel. Voetstappen.

Ik hoef niet op de klok te kijken. Mijn neurochips weten op de seconde af hoeveel tijd er is verstreken. Het is zover. Mijn ademhaling is onregelmatig, en ik vervloek én bedank op hetzelfde moment de neurochips die zich te veel herinneren en te veel imiteren.

Nog twintig minuten tot zonsopkomst. Nu. Het moment is aangebroken. Ik schud mijn vingers los.

Verraad. Trouw.

Overleven. Opoffering.

Maak een keuze, Jenna.

Ik gil. Lang en hard. Een harde kreet.

Ik luister.

Deuren die dichtslaan. Gevloek. Er wordt iets geroepen. Voetstappen.

Ik gil nog een keer. 'Nee... niet doen... help!' Zo hard dat het tegen de muren weergalmt.

Twee paar half slaperige voetstappen bonzen de trap op. 'Jenna!'

Twee paar voetstappen rennen de gang door. Een paar tellen van de deur naar mijn lege bed.

Vader vervloekt het licht dat het niet doet.

Een paar tellen.

De deur door. Naar het bed. Een leeg bed.

En ik glip de kamer uit.

De deur valt met een klap achter me dicht. Lily springt uit het donker tevoorschijn. Met een behendig gebaar steekt ze de sleutel in het slot en draait hem om.

Het slot op de deur 'voor alle zekerheid' dat was bedoeld om mij op te sluiten, houdt hen nu binnen – voor alle zekerheid.

'Vlug,' zegt Lily, en ze geeft me een andere sleutel. 'Misschien heb je niet veel tijd. Ik probeer het wel uit te leggen en hen tot bedaren te brengen. Maar je weet hoe ze zijn, je vader zou de deur best eens uit de scharnieren kunnen rammen.'

Het gebons en geroep is al begonnen. Ik leg mijn hand even op de deur. 'Probeer het te begrijpen,' zeg ik.

'Jenna! Wat is er aan de hand? Laat ons eruit!'

'Is alles goed met je? Wat gebeurt er? Jenna!'

De deur trilt – een dreun van Vaders schouder.

'Ga nou,' zegt Lily. 'Vlug.'

Ik ren met twee treden tegelijk de trap af, waarbij mijn onhandige voeten tot twee keer toe struikelen en ik me aan de leuning moet vastgrijpen om niet te vallen. Op de laatste trede gebeurt dat alsnog, en ik kruip op handen en voeten overeind. Dan hol ik de gang door en gris de koevoet mee die Lily zoals beloofd in haar deuropening voor me heeft klaargelegd. Ik storm de kamer van Vader en Moeder binnen; de deur vliegt met een klap tegen de muur. Met trillende vingers probeer ik de sleutel in het slot van de kast te steken. *Het lukt niet! Is het de verkeerde?* Het gebons van Vader en Moeder dreunt door het huis. Ik hoor Moeders stem alsof ze naast me staat. Eerst bevelend, dan smekend en tot slot met verbijsterd besef; het snijdt door me heen. Mijn benen worden zwakker. *Schiet op, Jenna!*

'God, laat hem passen!' roep ik terwijl ik aan de sleutel morrel. Hij glijdt het slot in. Met een snik draai ik hem om en de deur vliegt open.

'Hier ben ik, hier ben ik,' zeg ik, en ik voel me gevaarlijk onbeheerst. *Denk na. Rustig aan.*

Ik zwaai de koevoet als een golfclub naar achteren. Welke eerst?

Dan laat ik de koevoet zakken en steek hem onder de beugel van de eerste back-up. Kara. Hij geeft niet mee. *Toe nou.*

Ik gooi mijn volle gewicht in de strijd en de schroef schiet los. De beugel vliegt tegen de muur en valt op de vloer.

De tweede. Locke. Na drie pogingen schiet de schroef los.

En tot slot nummer drie. Jenna. Ik raak even de bovenkant van de zwarte computer aan en er trekt een golf duizeligheid door me heen. *Schiet op, Jenna. Nu!* Ik schuif de koevoet onder de beugel en duw hem uit alle macht in één beweging naar beneden. De beugel schiet bij de eerste poging los.

Ik herinner me ieder detail dat Vader me over de back-ups heeft verteld. Zodra ze losgekoppeld zijn van de stroombron, zijn ze nog maar een halfuur levensvatbaar. Dan houdt de speciale 'omgeving' waarin ze bewaard worden op met draaien en worden ze losgelaten.

Laat ze los, laat ze gaan.

Waarheen?

Kan ik dit wel? Stel dat...

Ik leg mijn trillende handen op de bovenkant van Kara's back-up.

Alsjeblieft, Jenna.

Mijn vingers omhullen de zwarte doos van vijftien bij vijftien centimeter. Klein, eindig en toch zo oneindig als een zwart gat in een melkwegstelsel. De enorme angst en eenzaamheid van die lege wereld komen in alle hevigheid terug en ik deins achteruit.

Nooit meer, heeft Vader gezegd. *Van hen als mens is niets over. Ze zullen nooit meer bestaan buiten die zwarte doos van vijftien bij vijftien.*

Ik hoor het gejank van een dier. Innig verdriet.

Mijn eigen gehuil.

Ik leg mijn handen op de back-ups van Kara en Locke. 'Het spijt me,' zeg ik snikkend. 'Het spijt me zo.' Dan trek ik de back-ups los. 'Het duurt niet lang.'

Ik kijk naar nummer drie. Die van mij. *Waar heb je dan wél behoefte aan, Jenna? Zeg het dan!*

 Ik wil de baas zijn over mijn eigen leven.

Ik trek hem los en overschrijd de onzichtbare grens van onsterfelijk naar sterfelijk.

'Dit is het begin,' fluister ik. *Het echte begin.*

Ik stapel de back-ups in mijn armen. Hier een halfuur wachten is te riskant. Ik weet ook wel wat van risicobeheersing. Vader en Moeder zijn heel vindingrijk als het op mij aankomt. Die laten zich niet lang weerhouden door zo'n dunne deur. Het is tijd om het plan te voltooien. De back-ups moeten naar een veilige plek, waar het komende halfuur niemand bij kan.

Ik hoor luid gekraak. Lily roept van boven: 'Jenna!' Ze hoeft het me niet te vertellen. Vader is vastberaden.

Ik hol de gang door en roep als ik langs de trap loop: 'Zeg dat ze uit mijn raam moeten kijken!'

Dan haast ik me door de keuken de veranda op, de heuvel af naar de vijver. De dageraad sluipt door de bomen en over de daken. Ik klauter op de kei die op de oever van de vijver ligt en kijk naar ons huis. Vader en Moeder staan voor mijn raam en schuiven het open.

'Jenna, niet doen!'

'In godsnaam, doe het niet!'

Ik neem de back-up van Kara in mijn rechterhand. 'Je bent vrij,' zeg ik, en ik gooi hem in de lucht, in vogelvlucht tegen de lichtpaarse hemel. Hij belandt met een plons midden in de vijver. Het glazige wateroppervlak wordt luidruchtig en met veel gespetter doorbroken. De back-up van Locke volgt en komt niet ver van die van Kara neer. De golfjes van de twee dozen raken elkaar, worden één, en ze waaieren uit tot er niets van over is. Weg.

Ik neem de derde back-up in mijn hand. Er klinkt geen geroep door het raam achter me. Aanvaarding, de laatste fase van de rouw? Het is voorbij. Dat weten ze. En ik weet het ook. Jenna Fox valt voor de laatste keer van haar voetstuk. Een gewoon meisje zoals ieder ander.

De zwarte doos vliegt mijn hand uit, hoog door de lucht, waar hij even lijkt te blijven zweven, bijna gewichtloos, vrij, en dan valt hij en verdwijnt van deze wereld, om zich bij een andere te voegen.

Ik wacht met ingehouden adem af.

Geen trompetgeschal. De zon stopt niet met klimmen. De meerkoeten zijn slechts licht verstoord door de korte onderbreking van hun activiteiten en cirkelen terug naar de lisdodden om verder te gaan met hun ontbijt. De veranderingen binnen één gezinnetje tellen niet in een wereld die al een miljard jaar draait. Maar door die ene verandering is voor dat ene gezin de wereld wel in een miljard opzichten anders gaan draaien.

Ook voor mij. De *enige* Jenna Angeline Fox.

Ik ga op de rand van het rotsblok zitten kijken hoe de golfjes hoogte en vaart verliezen. Maar zijn ze daarna wel weg? Wie kan uitleggen waar energie blijft? De vijver wordt weer een glazen spiegel. Oppervlakkig gezien lijkt het hetzelfde water, maar het is voorgoed veranderd door datgene wat erin ligt.

Ik hoor voetstappen. Zachtjes. Langzaam. Ze houden halt achter me. Lily's voetstappen.

'Ik laat hen er nu uit,' zegt ze.

'Ik kan beter naar binnen gaan.'

'Ze vergeven het me nooit.'

Ik sta op en veeg het zand en de steentjes van mijn handen. 'De wereld is veranderd. Dat heb je zelf tegen me gezegd. Ik denk dat het met vergiffenis net zo werkt als met verandering: die komt in kleine stapjes.'

Ze spreidt haar armen. Ik laat me erin vallen en ze omhelst me stevig, streelt mijn hoofd. Neurochips of neuronen, het doet er niet toe – haar geur en ademhaling maken me helemaal slap.

Ze doet een stapje terug en houdt me vast bij mijn schouders. 'Ga maar. Het moet toch gebeuren. Ik kom zo.'

Het huis is stil, alsof alle lucht eruit is gestompt. De langzaam rijzende zon zet de keuken in een zachtroze licht. De ontbijttafel, normaal gesproken 's morgens het middelpunt van alle drukte, is leeg. Ik loop naar de gang. Op één muur valt een driehoekje licht, maar de rest is donker. Als ik dichter bij de trap kom, schrik ik van Claire die in schaduwen gehuld op de overloop zit, in elkaar gedoken tegen de leuning. Ik loop naar boven en ga behoedzaam naast haar zitten. Ze staart voor zich uit alsof ik er niet ben.

'Mam...'

'Ze hadden je redding kunnen zijn, besef je dat wel?' Haar stem is nauwelijks een fluistering. 'Als er ooit een rechtszaak komt...'

'Ja, in één opzicht hadden ze mijn redding kunnen zijn. Maar in andere opzichten zou ik mezelf zijn kwijtgeraakt en daar had ik niet mee kunnen leven. Ik heb voor hen gedaan wat zij voor mij gedaan zouden hebben.'

'Jenna,' zegt ze met een zucht.

'Als het een vergissing is, is het *mijn* vergissing. Gun me dat.'

Ze legt haar hoofd in haar nek en kijkt naar boven, licht wiegend, alsof ze probeert de gebeurtenissen uit zichzelf weg te filteren.

Vader komt de hoek om en blijft even naar me staan staren, zijn armen losjes langs zijn lichaam, zijn haar door de war en zijn gezicht gegroefd. Hij loopt de trap op en slaakt een diepe zucht als hij op de trede onder ons gaat zitten. Hij schudt zijn hoofd maar zegt niets. Schudt zijn hoofd zo lang dat ik een brok in mijn keel krijg. 'Je kent de risico's niet, Jenna,' zegt hij na een hele tijd. 'Je kent eenvoudigweg de risico's niet.'

Ik leg mijn hand op zijn schouder. 'Misschien ken ik gewoon andere risico's dan jullie.'

Hij geeft geen antwoord. 'Ik ben hier *nu*, net als jullie,' zeg ik dan. 'Is dat niet genoeg?'

Hij zwijgt, maar zijn hoofd stopt nu wel met schudden. Uiteindelijk steekt hij zijn hand naar me uit en legt hem op de mijne. Moeder kijkt me aan. Haar blik is weer scherp, vervuld van *iets* waarvan ik zeker weet dat er geen woord of definitie voor is. Iets wat de oude Jenna nooit heeft gezien en wat de nieuwe nu pas begint te begrijpen. Ze haalt diep adem en slaat een arm om ons beiden heen. We raken verstrikt in een web van armen, en tranen en versmelting en omhelzing. Zo zitten we in de donkere grot van het trapgat: we geven onszelf de tijd, als zeesterren met een aangroeiende arm die weer opnieuw moeten leren bewegen.

Lily verschijnt onder aan de trap. Ze kijkt naar Moeder en haar blik is hoopvol, vervuld van dat *iets* wat ik zojuist in de ogen van Claire heb gezien. Moeder richt haar blik op en kijkt Lily aan; het is een lange uitwisseling in een taal die alleen zij kennen. En na een hele tijd vraagt Claire met een zucht: 'Zal ik een pot koffie zetten?'

Een miljard jaar rondtollen. We zijn niet immuun voor de vaart.

Lily knikt. 'Ik help je wel.'

We maken ons los uit de omhelzing, en als we onder aan de trap zijn, wordt er hard op de deur geklopt.

'Wat kan dat nou zijn op dit vroege tijdstip?' vraagt Claire.

'Misschien Summons,' zegt Vader.

Of iemand anders, denk ik. Iemand aan wie Allys het heeft verteld. Iemand die voor mij komt.

'Ik zal hem moeten laten weten dat het verplaatsen niet meer nodig is,' zegt Vader als hij eindelijk gaat opendoen.

Moet ik ze waarschuwen?

De deur zwaait al open. Vader is zichtbaar verbaasd. Hij aarzelt omdat hij de bezoekers niet kent.

Moeder doet een stap naar voren. 'Kunnen we u helpen?'

'Bent u de ouders van Jenna Fox?'

Vader en Moeder wisselen een blik. Ik zie dat Moeder haar gewicht verplaatst, alsof ze zichzelf indien nodig in een muur zal veranderen.

Ik stap uit de duisternis. 'Ja, dit zijn mijn ouders,' zeg ik.

'Wij zijn de ouders van Allys, de schoolvriendin van uw dochter.'

'Ja?' zegt Vader.

'We weten het, van Jenna,' legt Allys' vader uit. 'Onze dochter...' Zijn stem breekt.

'Onze dochter is stervende,' gaat Allys' moeder verder. Haar gezicht staat strak. Angstaanjagend. Ik zie hoe ze slikt en haar vuisten balt. 'Kunt u ons alstublíéft helpen?' Het starre masker verdwijnt en wordt gevolgd door tranen. Haar gesnik echoot door de hal.

'Komt u binnen,' zegt Moeder, en ze slaat een arm om de schouders van Allys' moeder. De manier waarop ze de snikkende vrouw vasthoudt verbaast me: alsof ze haar al jaren kent. Alsof ze alles van haar begrijpt.

'Laten we naar mijn werkkamer gaan,' zegt Vader. 'Daar kunnen we praten.'

'Het zal wel even duren,' zegt Moeder over haar schouder tegen Lily. 'Breng je de koffie daarheen als hij klaar is?'

Ze lopen langzaam met Allys' ouders de werkkamer in en doen de deur achter zich dicht.

Lily en ik blijven op de gang achter en staren naar de gesloten deur.

'Daar gaan we dan,' zegt ze uiteindelijk.

Ik schud mijn hoofd. 'Allys is erop tegen.'

Lily slaakt een diepe zucht. 'Wat zei je nou over verandering? Kleine stapjes? Als de wereld verandert, ga je ook anders over de dingen denken. Soms is het een kwestie van tijd en perspectief.'

Is mijn perspectief veranderd? Ja. Maar dat van Allys? De wereld?

'Ik weet het niet,' zeg ik. 'Maar in één opzicht heb je in ieder geval gelijk. Een paar weken geleden vond ik jou nog een eikel.'

Ze glimlacht. De rimpels van vermoeidheid rondom haar ogen waaieren op zo'n manier uit dat het lijkt alsof we aan haar keukentafel zitten en er niet ruim anderhalf jaar en vijfduizend kilometer tussen toen en nu in staan. Ze slaat een arm om me heen. 'Help je me met de koffie? Als je niks tegen je ouders zegt, krijg je ook een kopje.'

89

Doop

We lopen door de kerk alsof het een dag is als iedere andere. Lily doopt haar hand in het wijwater, buigt door één knie en laat haar hand als een muzieknoot over haar borst gaan. Zij is hier voor een gesprek over zaden en planten en ik heb met Ethan afgesproken.

Maar het is geen dag als iedere andere. Er is iets veranderd. Iets wat klein en alledaags is als een fluistering, maar tegelijkertijd kolossaal en zeldzaam. Ik blijf staan op de plek waar het gangpad de zijpaden kruist en kijk omhoog naar het koepelgewelf. Als ik mijn ogen sluit, voel ik de koelte. Ik ruik de muffe geur van verleden, hout en wanden en ik luister naar de echo van onze schuifelende schoenen en mijn eigen herinneringen. Ik snuif het verschil op: ik ben nu op deze aarde, maar morgen misschien niet meer. Voor mij is het de steile afgrond van iets nieuws, maar het is al zo oud als het begin der tijden.

Lily schuifelt dichterbij, en als ik mijn ogen opendoe, staat ze op een paar centimeter afstand. Haar vingers zijn nat, opnieuw in het wijwater gedoopt, en ze brengt ze naar mijn voorhoofd. Ik doe mijn ogen weer dicht en ze fluistert een gebed terwijl haar hand eerst naar mijn voorhoofd en dan via mijn borst naar mijn linker- en rechterschouder gaat.

'Hoe kun je het weten?' vraag ik.

'Sommige dingen zijn niet bedoeld om te weten. Alleen om te geloven.'

Een druppel op mijn voorhoofd. Nauwelijks groot genoeg om hem te voelen, maar genoeg voor Lily. En misschien ook voor mij. Weg met het oude, geloven in het nieuwe.

De wereld is veranderd. Ik ook.

90

260 jaar later

Ik zit midden in de tuin van meneer Bender. Hij is al vele tientallen jaren dood; ik ben de tel kwijt. Ik woon nu hier, sinds veertig jaar geleden het huis van Vader en Moeder afgebrand is. Ze zijn al langer dood dan meneer Bender.

Vader had het mis over de twee of tweehonderd jaar die ik nog te leven zou hebben, maar ik ben er niet verbitterd over. Geloof en wetenschap, zo heb ik ontdekt, zijn twee kanten van dezelfde medaille, gescheiden door een vlak dat heel dun is, maar wel breed genoeg om ervoor te zorgen dat de ene kant de andere niet kan zien. Ze weten niet eens dat ze aan elkaar vastzitten. Vader en Lily waren twee kanten van dezelfde medaille, heb ik besloten, en misschien ben ik wel de ruimte tussen hen in.

'Jenna?' Het is de roep van de enige persoon op aarde die ik nu met recht mijn gelijke kan noemen. 'O, daar ben je.' Het is Allys. Ze hobbelt niet meer. Haar woorden zijn niet langer nors en scherp. Ze is gelukkiger dan de Allys die ik al die jaren geleden heb leren kennen. De nieuwe Allys. Tweeëntwintig procent. Niet dat percentages er nog toe doen. Wij zijn niet meer de enigen. De wereld accepteert tegenwoordig meer. Maar ik ben nog altijd de norm: de Jenna-norm wordt het wel eens genoemd. Tien procent is het minimum. Maar de mensen veranderen en de wereld zal ook veranderen. Daar ben ik van overtuigd.

Allys en ik wonen nu samen. We zijn oude vrouwen in de huid van tieners. Dat is weer zo'n factor waarop Vader en zijn medewetenschappers niet gerekend hadden: dat biochips zouden leren, groeien en muteren, omdat er ergens in die tien procent een boodschap schuilging: *overleven*. De biochips hebben ervoor gezorgd dat wij het overleefden. Hoe lang nog? Dat weet niemand. Maar de Bio Gel is voor toekomstige gebruikers wel aangepast: niemand leeft langer dan 'aanvaardbaar en gepast' is. Allys en ik giechelen er op onze oude dag om dat wij dus niet 'gepast' zijn. We kunnen tegenwoordig gemakkelijker om een heleboel dingen lachen.

'Kayla is thuis,' roept Allys vanaf de rand van de tuin.

'Stuur haar maar hierheen.'

Ik heb zeventig fijne jaren gehad met Ethan. Pas toen hij al een hele tijd dood was, durfde ik het aan om Kayla te nemen. Ze heeft zijn huidskleur, zijn gevoel voor humor, zijn liefde voor literatuur en soms zijn opvliegendheid. Maar haar ogen heeft ze van mij. Iedere ademhaling begint en eindigt bij haar. Toch weet ik dat ik op een dag, als Kayla op leeftijd is, in de winter naar Boston zal vertrekken en daar zal blijven, om lange wandelingen te maken en weer de zachte, koude sneeuwvlokken op mijn gezicht te voelen, want ouders horen niet langer te leven dan hun kinderen.

Ze komt de hoek om gevlogen. 'Mammie!'

'Ssst.' Ik leg mijn vinger tegen mijn lippen. Ze is meteen stil, alwetend en verwachtingsvol, met grote ogen. Als ik in die ogen kijk – elke keer wanneer ik in die ogen kijk – moet ik denken aan Moeder, aan Lily en dat *iets* wat ik pas dankzij Kayla echt heb leren begrijpen. 'Kom eens hier, mijn engeltje,' fluister ik, en ze trippelt op haar tenen naar me toe en kruipt naast me op de bank.

Zodra ik mijn hand in mijn zak steek, strijkt er een hele zwerm vogels neer op haar schouders. Ik deel mijn handvol zaadjes met Kayla. Zodra we onze armen met de offergave uitsteken, komen de vogels op onze handen zitten. Het zijn er wel vijftien. En stuk voor stuk vederlicht. *Hooguit een onsje.* Ze nemen niet meer dan een handjevol ruimte in en toch doet hun aanraking me onmetelijk veel. Een wonderbaarlijk onsje dat me vervult met verwondering. Vandaag, net als al die keren dat ze de afgelopen tweehonderd jaar op mijn hand neerstreken, verwonder ik me over het gewicht van een musje.

'Eerst denk ik nog dat alles in orde is. Ik hoor namelijk nog steeds Beethoven spelen. Maar ik sta in een sloot aan de kant van de weg.'

Als ik blijf
Gayle Forman

Het leven van de 16-jarige Mia draait om muziek: ze wil graag naar het conservatorium en haar vriend Adam speelt in een populaire band. De toekomst ziet er rooskleurig uit. Wanneer Mia en haar familie onverwacht een vrije dag hebben, besluiten ze een gezellig dagje uit te gaan. Maar dan gebeurt er iets onverwachts dat het leven van Mia in een klap voor altijd zal veranderen...

Gayle Forman, wereldreiziger en voormalig journalist voor het tijdschrift *Seventeen*, heeft al meerdere boeken geschreven voor tieners. Ze woont met haar man en dochter in New York.

'Een boek dat heftige emoties losmaakt en de lezers ertoe aanzet de balans van hun leven op te maken en zich af te vragen wat er écht belangrijk is in het leven.' – Publishers Weekly

ISBN 978 90 443 2293 4